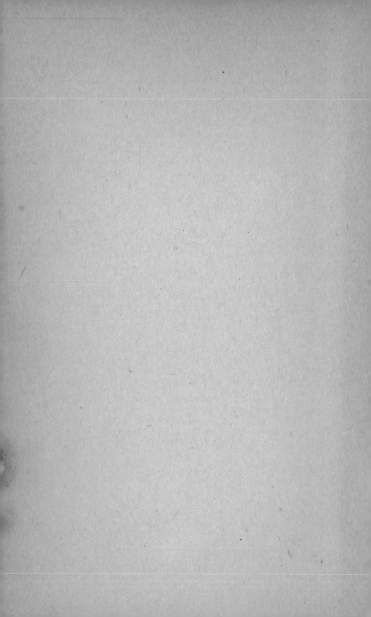

a voyage to Italy, his
love for Graziella, the Neapolitan
fisherman's daughter. She gives her heart
to him. But he must return to
France & later on he receives a letter
& a package — It is the farewell
of the dying girl, & her beautiful
locks sent. Dread of Promise
he not be a began his edge

LAMARTINE.

Heath's Modern Language Series

GRAZIELLA

PAR

A. DE LAMARTINE

EDITED WITH INTRODUCTION AND NOTES

BY

F. M. WARREN

PROFESSOR OF ROMANCE LANGUAGES IN YALE UNIVERSITY

D. C. HEATH & CO., PUBLISHERS
BOSTON NEW YORK CHICAGO

INTRODUCTION

ALPHONSE-MARIE-LOUIS DE LAMARTINE was born at Mâcon, some miles north of Lyons, on October 21, 1790. His father was a younger son of good country gentry. His mother, Alix des Roys, was the daughter of the steward of the Orleans family and had been brought up with the princes of that house. During the French Revolution the grandparents and father of the child, Alphonse, were imprisoned, to be released at the fall of Robespierre. The succeeding years of Lamartine's boyhood were passed on the family estate at Milly, near Mâcon. At the age of ten he was sent away to school at Lyons. But the contrast with his past freedom, and the indulgence shown him by his mother, to whom he was always most strongly attached, caused him to run away from the unwonted discipline of his new preceptors, and in 1803 he was intrusted to the milder sway of the Jesuit Fathers at Belley. He remained with them four years. Released from school at the age of seventeen, having uncles who successfully opposed his desire to study law, Lamartine passed many months of aimless existence at Milly, Mâcon, Lyons and elsewhere. During this time he read much — Richardson's novels, Tasso, Ossian, Racine, Voltaire, Rousseau, Parny, Chateaubriand, Mme de Staël — and wrote spasmodically. His earliest verse dates from 1808. It consists of lines in imitation of the eighteenth century poet Gresset.

In 1811 a love affair of the young man attracted his parents' attention, and in June he was sent to Italy in company with a relative. He visited the cities of Lombardy and Tuscany, reached Rome in the autumn and spent the winter at Naples. April, 1812, found him once more at Mâcon. This trip was of the utmost importance in Lamartine's literary career. The scenery of the Bay of Naples was a revelation to him. The ease and freedom of Italian life pleased his restless nature. His poems and prose show repeated traces of these few months' experience. On his return to France he gave himself up more unreservedly to poetical composition, both lyric and epic. He also wrote classical tragedies, after Voltaire or Racine. The only interruption these peaceful employments suffered was during Napoleon's exile to Elba, when Lamartine enlisted in the body-guard of Louis XVIII. But before Waterloo he had already made his first public appearance as an author, in a eulogy of the poet Parny, read before the Mâcon Academy, March 3, 1815.

These productions showed little originality and gave no earnest of the coming poet. It was an unfortunate love affair which revealed Lamartine's genius. In 1816 he had met at Aix-les-Bains, in Savoy, the invalid wife of a Parisian physicist, Madame Charles. He passed a part of the following winter with her at Paris. They agreed to meet again at Aix in September, 1817. Lamartine was faithful to the rendezvous, but Madame Charles was too ill to undertake the journey. And tortured with a hopeless passion, alone amid cherished surroundings, foreseeing the approaching death of his beloved, Lamartine gave expression to his sadness and melancholy in one of the best poems of the century, the elegy of *le Lac*.

The year 1818 saw the composition of a considerable amount of verse relating to the love and death of Madame Charles, who bears the poetical name of *Elvire*. It was also at this time that Lamartine carried to Paris his favorite tragedy of *Saül,* which he offered to the great tragedian, Talma. It was declined. But his visits to the capital had fostered his ambition. He had read several of his works to private gatherings of friends in Paris, and under their encouragement he printed a few copies of the poem *l'Isolement* in 1819. His first collection destined for the wider public, however, was *les Méditations poétiques,* published in March, 1820. It was made up in great part of the poems written under the influence of his unhappy love affair. The note of personal feeling which inspired them was felt at once. In their harmony and melancholy they answered the aspirations of the time. Their success was immediate and general. They began a new era in the history of French poetry.

From 1820 to 1830 Lamartine's activity was shown in the publication of single poems and collections of poetry. In 1823 *les Nouvelles Méditations* appeared, and *la Mort de Socrate,* prompted by Plato's *Phædo.*

In 1825 a coronation ode, *le Sacre de Charles X,* and a sequel to Byron, *le Dernier Chant du Pèlerinage d'Harold.* In 1829 a new collection, *les Harmonies poétiques et religieuses.* He had married Marian Birch, the daughter of an English officer, in 1820, and turned diplomat, serving his country at Florence with considerable distinction, for he was a man of fine presence and polished manners. In 1830 he was admitted to the French Academy. The oration which he delivered on this occasion is notable for the attempt the orator makes in it to reconcile the older, or classical, school of literature with the younger, or romantic. The majority of the Academy were partisans of the Classicists. He urged them to extend a welcoming hand to the Romanticists.

From 1830 to 1848 Lamartine's energies were quite absorbed by his interest in public affairs. A political career was always his ambition. He now sat as a deputy in the Assembly, forming a party by himself, and employing the resources of his eloquence in favor of right measures of government. He was an orator of unusual gifts. But he also found time for literature. An eastern trip, undertaken in a private vessel by himself and his family in 1832-1833, gave rise to his first prose work, *le Voyage en Orient* (1835). A desire to write an epic of humanity which he had been nourishing for many years took shape at last in 1836 with the publication of the poem of *Jocelyn.* The plan of his epic was immense. It was to consist of ten Visions, reaching from the creation to the final judgment of man. Each Vision was to be divided into cantos. *Jocelyn* was the third canto of the Ninth

Vision. The enterprise was too great. It would have overwhelmed a much more persistent temperament than Lamartine's. He faltered on the way, and though he left scattered fragments behind, he actually finished but one more canto, *la Chute d'un Ange,* which was published in 1838. In 1839 his last collection of lyrics appeared under the title of *les Recueillements poétiques,* and in 1847, a second long prose work, *l'Histoire des Girondins,* in which the principles of the French Revolution were idealized.

In the Revolution of 1848 Lamartine played an important part. His eloquence and honesty prevented many excesses and abuses. But his popularity, which was great at the beginning, waned rapidly; soon he had lost all hold upon the electors, and when Napoleon III usurped the power in 1852 Lamartine retired from politics entirely. In the meantime a kind of autobiography he had been writing for Girardin's journal, *la Presse* (since 1847), had been published in a volume entitled *les Confidences* (1849). His last long poem, *Raphaël,* saw the light in the same year. More memoirs were collected in 1851 under the title of *Nouvelles Confidences,* and in 1851 also Lamartine published his story of *le Tailleur de pierres de Saint-Point.* Under the Second Empire our author's existence was saddened by unceasing struggles with poverty. To meet his financial obligations he gave himself unreservedly to hack work, writing anything which could have a market value, stories, essays, history and occasional poems. Of all this production, one short poem only, *la Vigne et la Maison* (1857), deserves a place by the side of his earlier works. His lamentable condition attracted the attention of the nation, and in 1867 he was offered a pension by the government. This assistance, however, was not long enjoyed, for worn by care and burdened with years Lamartine passed away in the suburb of Passy, at Paris, on March 1, 1869.

———

Lamartine's place in literature is with the Romantic school. He was its first poet, infusing into the traditional forms of French verse the new spirit of ideal aspiration and dreamy regret. Later, after the younger generation of the school had broken up the classical line and strophe, Lamartine's prosody also varied. As a poet his style was peculiarly harmonious, pure and flowing. The same qualities characterize his prose works, which were undertaken for financial reasons. So it is to his poetry that we must look for the best that is in Lamartine. Composed as his poetry was quite exclusively under the influence of personal emotion, it reveals his temperament, his melancholy, tender religious nature. It often represents his soul in communion with the outside world, which it endows with its longings and ideas. Subjective in kind it even attempted philosophical themes. Hence Lamartine's effort to write a Christian epic.

The qualities of his earlier poetry reappear in the prose narrative of *Graziella*. The story is an idyll, like many of his *Méditations*. It is also elegiac, like *le Lac*. The poet's fondness for nature is revealed in it by repeated descriptions of Italian scenery. His love for simple life is reflected in the existence he led among the fisher-folk of Naples. The style of *Gra-*

ziella is also characteristic of the poet. He writes easily, rather loosely, and sometimes incorrectly. Perhaps Lamartine's limitations are partially those of style. He did not compose compactly enough for the highest kind of verse — unless indeed he was at his best — and though artistic in temperament, he disliked to correct himself. Study, which alone produces the best average results, was repugnant to him, and his poetry suffered because of his negligence and indolence. Furthermore, he never took his writing seriously. Literature was with him a pastime and not a trade. He seems to have considered political life his real calling.

Graziella is a reminiscence of youth in a man of threescore. Consequently its narrative is a fair picture of its author as seen by himself in the light of years. We find in it his family education, indulgent and intermittent, his out-of-door life transported from Milly to Naples, his opposition to social forms and ties, his imagination and sentiment, his subjection to his feelings rather than his judgment. Even the books which helped to fashion his mind are present — Tasso and Bernardin de Saint-Pierre especially. Only Ossian and his melancholy are wanting. But Ossian could hardly live under the skies of southern Italy. For a model *Graziella* seems to have chosen *Paul and Virginia*. Its tone is simple, its periods flowing and expressive, its vocabulary general rather than technical. With the exception of certain turns of phrase, which have been imputed (by Sainte-Beuve) to the influence of Balzac, *Graziella* might well have been written at the beginning of the Romantic movement

in France. Its publication in 1849 instead of 1819
seems to make it the survivor of a departed generation.

————

The circumstances attending the composition of *les
Confidences*, of which *Graziella* is a part, are told by
their author in a preface to those memoirs. In the year
1843 Lamartine had retired to the Island of Ischia,
off the Bay of Naples, in order to bring his long *Histoire des Girondins* to an end. He had used up the
material for that work which he had brought with him,
and was amusing himself by recalling the events of his
first journey to Italy and Naples. In keeping with a
custom which he says he had inherited from his mother,
he was giving these events the form of a narrative,
when one day his pen was stayed by the arrival of a
friend on the island. At his request Lamartine read to
him from the unfinished manuscript. Some weeks
later Lamartine returned to France. He found his
estate of Milly threatened with the foreclosure of a
mortgage he himself had laid on it. All efforts to
meet the obligation otherwise than by surrendering the
property were unavailing. In bitterness of heart Lamartine had already resigned himself to fate, when a
letter arrived from Émile de Girardin, editor of *la
Presse,* requesting the manuscript of the early rem-
iniscences, of which he had heard through a mutual
acquaintance, and the permission to publish it in his
journal. Placed between the choice of accepting this
proposal and the necessity of losing Milly, Lamartine
surrendered his notes after long debates with his pride.
He began printing them in *la Presse* in 1847, the story

of Graziella appearing in its proper place. In 1849
the various articles were arranged in books and published in one volume under the title of *les Confidences*.
The first six books tell of the early years of the author
and his youth. The journey to Italy begins with the
seventh. The "episode" of *Graziella,* as Lamartine
calls it, has often been published by itself and is the
only living part of the autobiography. How much of
the episode is based on fact is difficult to determine.
It is certain that on his first visit to Naples Lamartine
saw Graziella, who was in the household of his relative — this relative is alluded to in *Graziella* (see pages
14 and 75). But it is quite doubtful whether he
entered into her life in any way. Later, in 1830, the
death of a young girl or the sight of a picture (there
are two versions) recalled to his mind the young
Italian he had met, and prompted the poem of *le Premier Regret,* first published in *les Harmonies poétiques
et religieuses,* and afterwards in the last chapter of
Graziella (see page 149). And out of this poem of
1830 seems to have grown the novel of 1843, composed
at a time when Lamartine was once more brought in
contact with Italian scenery and the memories of his
early stay in Naples. We may therefore assume that
Graziella, while reproducing many characteristic de-
tails of Neapolitan life and perhaps some of the
author's own personal experience during his residence
at Naples, is quite as much a work of the imagination
in its plot and characters as St. Pierre's *Paul and Virginia* had been.

Graziella, having been recommended by the Committee of Twelve as a part of the curriculum in high schools and academies, has been slightly abridged in this edition.   In all, ten lines have been omitted.

F. M. W.

GRAZIELLA

LIVRE PREMIER[1]

I

A DIX-HUIT ans,[2] ma famille me confia aux soins
d'une de mes parentes que des affaires appelaient en
Toscane,[3] où elle allait accompagnée de son mari.
C'était une occasion de me faire voyager et de m'arracher à cette oisiveté dangereuse de la maison pater-   5
nelle et des villes de province,[4] où les premières passions de l'âme se corrompent faute d'activité.   Je partis
avec l'enthousiasme d'un enfant qui va voir se lever le
rideau des plus splendides scènes de la nature et de
la vie.   10

Les Alpes, dont je voyais de loin, depuis mon enfance, briller les neiges éternelles, à l'extrémité de
l'horizon, du haut de la colline de Milly ;[5] la mer, dont
les voyageurs et les poètes avaient jeté dans mon esprit
tant d'éclatantes images ; le ciel italien, dont j'avais,   15
pour ainsi dire, aspiré déjà la chaleur et la sérénité
dans les pages de *Corinne*[6] et dans les vers de Gœthe :

Connais-tu cette terre où les myrtes fleurissent ?[7]

les monuments encore debout de cette antiquité romaine, dont mes études toutes fraîches[1] avaient rempli
ma pensée ; la liberté enfin ; la distance qui jette un
prestige sur les choses éloignées ; les aventures, ces
5 accidents certains des longs voyages que l'imagination
jeune prévoit, combine à plaisir et savoure d'avance ;
le changement de langue, de visages, de mœurs, qui
semble initier l'intelligence à un monde nouveau, tout
cela fascinait mon esprit.   Je vécus dans un état
10 constant d'ivresse pendant les longs jours d'attente qui
précédèrent le départ.   Ce délire, renouvelé chaque
jour par les magnificences de la nature en Savoie,[2] en
Suisse, sur le lac de Genève, sur les glaciers du Simplon,[3] au lac de Côme,[4] à Milan et à Florence, ne re-
15 tomba qu'à mon retour.

Les affaires qui avaient conduit ma compagne de
voyage à Livourne[5] se prolongeant indéfiniment, on
parla de me faire repartir pour la France sans avoir vu
Rome et Naples.   C'était m'arracher mon rêve au mo-
20 ment où j'allais le saisir.   Je me révoltai intérieurement contre une pareille idée.   J'écrivis à mon père
pour lui demander l'autorisation de continuer seul mon
voyage en Italie, et, sans attendre la réponse, que je
n'espérais guère favorable, je résolus de prévenir la
25 désobéissance par le fait.   « Si la défense arrive, me
disais-je, elle arrivera trop tard.   Je serai réprimandé,
mais je serai pardonné ; je reviendrai, mais j'aurai vu.»
Je fis la revue de mes finances très restreintes ; mais je
calculai que j'avais un parent de ma mère établi à
30 Naples, et qu'il ne me refuserait pas quelque argent
pour le retour.   Je partis, une belle nuit, de Livourne
par le courrier[6] de Rome.

J'y passai l'hiver seul dans une petite chambre d'une
rue obscure qui débouche sur la place d'Espagne,[1]
chez un peintre romain qui me prit en pension dans sa
famille. Ma figure, ma jeunesse, mon enthousiasme,
mon isolement au milieu d'un pays inconnu, avaient 5
intéressé un de mes compagnons de voyage dans la
route de Florence à Rome. Il paraissait être le fils ou
le neveu du fameux chanteur Davide,[2] alors le premier
ténor des théâtres d'Italie. Davide voyageait aussi
avec nous. C'était un homme d'un âge déjà avancé. 10
Il allait chanter pour la dernière fois sur le théâtre
Saint-Charles, à Naples.

Davide me traitait en père, et son jeune compagnon
me comblait de prévenances et de bontés. Je répondais
à ses avances avec l'abandon et la naïveté de mon âge. 15
Nous n'étions pas encore arrivés à Rome, que[3] le beau
voyageur et moi nous étions inséparables. Le courrier, dans ce temps-là, ne mettait pas moins de trois
jours pour aller de Florence à Rome. Dans les au-
berges, mon nouvel ami était mon interprète ; à table 20
il me servait le premier ; dans la voiture, il me ména-
geait à côté de lui la meilleure place, et si je m'endor-
mais, j'étais sûr que ma tête aurait son épaule pour
oreiller.

Quand je descendais de voiture, aux longues mon- 25
tées des collines de la Toscane ou de la Sabine,[4] il descendait avec moi, m'expliquait le pays, me nommait
les villes, m'indiquait les monuments. Il cueillait
même de belles fleurs et achetait de belles figues et de
beaux raisins sur la route ; il remplissait de ces fruits 30
mes mains et mon chapeau. Davide semblait voir avec
plaisir l'affection de son compagnon de voyage pour

le jeune étranger.   Ils se souriaient quelquefois en me
regardant d'un air d'intelligence, de finesse et de bonté.

Arrivés à Rome la nuit, je descendis tout naturellement dans la même auberge qu'eux.   On me conduisit
5 dans ma chambre ; je ne me réveillai qu'à la voix de
mon jeune ami, qui frappait à ma porte et qui m'in-
vitait à déjeuner.   Je m'habillai à la hâte, et je descendis dans la salle, où les voyageurs étaient réunis.   J'allais serrer la main de mon compagnon de voyage, et je
10 le cherchais en vain des yeux parmi les convives, quand
un rire général éclata sur tous les visages.   Au lieu du
fils ou du neveu de Davide, j'aperçus à côté de lui une
charmante figure de jeune fille romaine, élégamment
vêtue, et dont les cheveux noirs, tressés en bandeaux
15 autour du front, étaient rattachés derrière par deux
longues épingles d'or à tête de perles, comme les portent encore les paysannes de Tivoli.[1]   C'était mon
ami, qui avait repris en arrivant à Rome, son costume
et son sexe.

20 J'aurais dû m'en douter[2] à la tendresse de son regard
et à la grâce de son sourire ; mais je n'avais eu aucun
soupçon.   « L'habit ne change pas le cœur, me dit en
rougissant la belle Romaine ; seulement vous ne dormirez plus sur mon épaule, et, au lieu de recevoir de
25 moi des fleurs, c'est vous qui m'en donnerez.   Cette
aventure vous apprendra à ne pas vous fier aux apparences d'amitié qu'on aura pour vous plus tard : cela
pourrait bien être autre chose.»

La jeune fille était une cantatrice, élève favorite de
30 Davide.   Le vieux chanteur la conduisait partout avec
lui ; il l'habillait en homme pour éviter les commentai-
res sur la route.   Il la traitait en père plus qu'en pro-

tecteur, et n'était nullement jaloux des douces et inno-
centes familiarités qu'il avait laissées lui-même s'établir
entre nous.

II

DAVIDE et son élève passèrent quelques semaines à
Rome. Le lendemain de notre arrivée, elle reprit ses 5
habits d'homme et me conduisit d'abord à Saint-
Pierre,[1] puis au Colisée, à Frascati, à Tivoli, à Albano.
J'évitai ainsi les fatigantes redites de ces démonstra-
teurs gagés qui dissèquent aux voyageurs le cadavre
de Rome, et qui, en jetant leur monotone litanie de 10
noms propres et de dates à travers vos impressions, ob-
sèdent la pensée et déroutent le sentiment des belles
choses. La Camilla[2] n'était pas savante; mais, née à
Rome, elle savait d'instinct les beaux sites et les grands
aspects dont elle avait été frappée dans son enfance. 15
Elle me conduisait sans y penser aux meilleures
heures pour contempler les restes de la ville antique:
le matin, sous les pins aux larges dômes du monte Pincio;[3] le soir, sous les grandes ombres des colonnades
de Saint-Pierre; au clair de lune, dans l'enceinte 20
muette du Colisée; par de belles journées d'automne,
à Albano, à Frascati et au temple de la Sibylle,[4] tout
retentissant et tout ruisselant de la fumée des cascades
de Tivoli. Elle était gaie et folâtre comme une statue
de l'éternelle Jeunesse, au milieu de ces vestiges du 25
temps et de la mort. Elle dansait sur la tombe de
Cécilia Metella,[5] et, pendant que je rêvais assis sur
une pierre, elle faisait résonner des éclats de sa voix de
théâtre les voûtes sinistres du palais de Dioclétien.[6]

Le soir, nous revenions à la ville, notre voiture remplie de fleurs et de débris de statues, rejoindre le vieux
Davide, que ses affairs retenaient à Rome et qui nous
menait finir la journée dans sa loge au théâtre.   La
5 cantatrice, plus âgée que moi de quelques années, ne
me témoignait pas d'autres sentiments que ceux d'une
amitié un peu tendre.   J'étais trop timide pour en té-
moigner d'autres moi-même ; je ne les ressentais même
pas malgré ma jeunesse et sa beauté.   Son costume
10 d'homme, sa familiarité toute virile, le son mâle de sa
voix de contralto et la liberté de ses manières me faisaient une telle impression, que je ne voyais en elle
qu'un beau jeune homme, un camarade et un ami.

III

Quand Camilla fut partie, je restai absolument seul
15 à Rome, sans aucune autre connaissance que les sites,
les monuments et les ruines où la Camilla m'avait in-
troduit.   Le vieux peintre chez lequel j'étais logé ne
sortait jamais de son atelier que pour aller le dimanche
à la messe avec sa femme et sa fille, une jeune per-
20 sonne de seize ans, aussi laborieuse que lui.   Leur maison était une espèce de couvent où le travail de l'artiste
n'était interrompu que par un frugal repas et par la
prière.

Le soir, quand les dernières lueurs du soleil s'étei-
25 gnaient sur les fenêtres de la chambre haute du pauvre
peintre, et que les cloches des monastères voisins son-
naient l'*Ave Maria*,[1] cet adieu harmonieux du jour en
Italie, le seul délassement de la famille était de dire en-

semble le chapelet et de psalmodier à demi-chant les
litanies, jusqu'à ce que les voix, affaissées par le sommeil, s'éteignissent dans un vague et monotone murmure, semblable à celui du flot qui s'apaise sur une
plage où le vent tombe avec la nuit. 5

J'aimais cette scène calme et pieuse du soir, où
finissait une journée de travail par cet hymne de
trois âmes s'élevant au ciel pour se reposer du jour.
Cela me reportait au souvenir de la maison paternelle,
où notre mère nous réunissait aussi, le soir, pour 10
prier, tantôt dans sa chambre, tantôt dans les allées de
sable du petit jardin de Milly, aux dernières lueurs du
crépuscule. En retrouvant les mêmes habitudes, les
mêmes actes, la même religion, je me sentais presque
sous le toit paternel dans cette famille inconnue. Je 15
n'ai jamais vu de vie plus recueillie, plus solitaire, plus
laborieuse et plus sanctifiée que celle de la maison du
peintre romain.

Le peintre avait un frère. Ce frère ne demeurait pas
avec lui; il enseignait la langue italienne aux étran- 20
gers de distinction qui passaient les hivers à Rome.
C'était plus qu'un professeur de langues, c'était un let-
tré romain du premier mérite. Jeune encore, d'une figure superbe, d'un caractère antique, il avait figuré
avec éclat dans les tentatives de révolution que les 25
républicains romains avaient faites pour ressusciter
la liberté dans leur pays. Il était un des tribuns du
peuple, un des Rienzi,[1] de l'époque. Dans cette courte
résurrection de Rome antique suscitée par les Français,
étouffée par Mack[2] et par les Napolitains, il avait joué 30
un des premiers rôles; il avait harangué le peuple au
Capitole,[3] arboré le drapeau de l'indépendance et oc-

cupé un des premiers postes de la république.[1] Poursuivi, persécuté, emprisonné au moment de la réaction,
il n'avait dû son salut qu'à l'arrivée des Français, qui
avaient sauvé les républicains, mais qui avaient con-
5 fisqué la république.

Ce Romain adorait la France révolutionnaire et philosophique ; il abhorrait l'empereur et l'empire. Bonaparte était pour lui, comme pour les Italiens libéraux,
le César de la liberté. Tout jeune encore, j'avais les
10 mêmes sentiments.[2] Cette conformité d'idées ne tarda
pas à se révéler entre nous. En voyant avec quel enthousiasme à la fois juvénile et antique je vibrais aux
accents de liberté quand nous lisions ensemble les vers
incendiaires du poète Monti[3] ou les scènes républicai-
15 nes d'Alfieri,[4] il vit qu'il pouvait s'ouvrir à moi, et je
devins moins son élève que son ami.

IV

La preuve que la liberté est l'idéal divin de l'homme, c'est qu'elle est le premier rêve de la jeunesse, et qu'elle ne s'évanouit dans notre âme que quand
20 le cœur se flétrit et que[5] l'esprit s'avilit et se décourage.
Il n'y a pas une âme de vingt ans qui ne soit répu-
blicaine ; il n'y a pas un cœur usé qui ne soit servile.

Combien de fois mon maître et moi n'allâmes-nous
pas nous asseoir sur la colline de la villa Pamphili,[6]
25 d'où l'on voit Rome, ses dômes, ses ruines, son Tibre,
qui rampe souillé, silencieux, honteux, sous les arches
coupées du Ponte Rotto,[7] d'où l'on entend le murmure
plaintif de ses fontaines et les pas presque muets de

son peuple marchant en silence dans ses rues désertes !
Combien de fois ne versâmes-nous pas des larmes amè-
res sur le sort de ce monde livré à toutes les tyran-
nies, où la philosophie et la liberté n'avaient semblé
vouloir renaître un moment en France et en Italie que   5
pour être souillées, trahies ou opprimées partout ! Que
d'imprécations à voix basse ne sortaient pas de nos poi-
trines contre ce tyran[1] de l'esprit humain, contre ce sol-
dat couronné qui ne s'était retrempé dans la révolution
que pour y puiser la force de la détruire et pour livrer   10
de nouveau les peuples à tous les préjugés et à toutes
les servitudes ! C'est de cette époque que datent pour
moi l'amour de l'émancipation de l'esprit humain et
cette haine intellectuelle contre ce héros du siècle, haine
à la fois sentie et raisonnée, que la réflexion et le temps 15
ne font que justifier, malgré les flatteurs de sa mémoire.

V

CE fut sous l'empire de ces impressions que j'étudiai
Rome, son histoire et ses monuments. Je sortais le
matin, seul, avant que le mouvement de la ville pût dis- 20
traire la pensée du contemplateur. J'emportais sous
mon bras les historiens, les poètes, les descripteurs de
Rome. J'allais m'asseoir ou errer sur les ruines désertes du Forum,[2] du Colisée, de la campagne romaine.
Je regardais, je lisais, je pensais tour à tour. Je faisais 25
de Rome une étude sérieuse, mais une étude en action.[3]
Ce fut mon meilleur cours d'histoire. L'antiquité, au
lieu d'être un ennui, devint pour moi un sentiment. Je

ne suivais dans cette étude d'autre plan que mon penchant. J'allais au hasard où mes pas me portaient.
Je passais de Rome antique à Rome moderne, du Panthéon[1] au palais de Léon X,[2] de la maison d'Horace, à
5 Tibur,[3] à la maison de Raphaël.[4] Poètes, peintres, historiens, grands hommes, tout passait confusément devant moi ; je n'arrêtais un moment que ceux qui m'in-
téressaient davantage ce jour-là.

Vers onze heures, je rentrais dans ma petite cellule
10 de la maison du peintre pour déjeuner. Je mangeais,
sur ma table de travail et tout en lisant, un morceau
de pain et de fromage ; je buvais une tasse de lait ; puis
je travaillais, je notais, j'écrivais jusqu'à l'heure du
dîner. La femme et la fille de mon hôte le préparaient
15 elles-mêmes pour nous. Après le repas, je repartais
pour d'autres courses et je ne rentrais qu'à la nuit
close. Quelques heures de conversation avec la famille
du peintre et des lectures prolongées longtemps dans la
nuit achevaient ces paisibles journées. Je ne sentais
20 aucun besoin de société ; je jouissais même de mon isolement : Rome et mon âme me suffisaient. Je passai
ainsi tout un long hiver, depuis le mois d'octobre jusqu'au mois d'avril suivant, sans un jour de lassitude
ou d'ennui. C'est au souvenir de ces impressions que
25 dix ans après j'écrivis des vers sur Tibur.[5]

VI

Maintenant, quand je recherche bien dans ma pen
sée toutes mes impressions de Rome, je n'en trouve que
deux qui effacent ou qui du moins dominent toutes les

autres : le Colisée, cet ouvrage du peuple romain ;
Saint-Pierre, ce chef-d'œuvre du catholicisme.   Le
Colisée est la trace gigantesque d'un peuple surhumain,
qui élevait pour son orgueil et ses plaisirs féroces des
monuments capables de contenir toute une nation.   5
Monuments rivalisant par la masse et par la durée avec
les œuvres mêmes de la nature.   Le Tibre aura tari
dans ses rives de boue que[1] le Colisée le dominera encore.

Saint-Pierre est l'œuvre d'une pensée, d'une reli- 10
gion, de l'humanité tout entière à une époque du
monde ! Ce n'est plus là un édifice destiné à contenir
un vil peuple : c'est un temple destiné à contenir toute
la philosophie, toutes les prières, toute la grandeur,
toute la pensée de l'homme.   Les murs semblent s'é- 15
lever et s'agrandir, non plus à la proportion d'un
peuple, mais à la proportion de Dieu.   Michel-Ange
seul a compris le catholicisme et lui a donné dans
Saint-Pierre sa sublime et sa plus complète expression.
Saint-Pierre est véritablement l'apothéose en pierre, 20
la transfiguration monumentale de la religion du
Christ.

Les architectes des cathédrales gothiques étaient des
barbares sublimes.   Michel-Ange seul a été un philo-
sophe dans sa conception.   Saint-Pierre, c'est le 25
christianisme philosophique d'où l'architecte divin
chasse les ténèbres, et où il fait entrer l'espace, la
beauté, la symétrie, la lumière à flots intarissables.
La beauté incomparable de Saint-Pierre de Rome,
c'est d'être un temple qui ne semble destiné qu'à re- 30
vêtir l'idée de Dieu de toute sa splendeur.

Le christianisme périrait que Saint-Pierre resterait

encore le temple universel, éternel, rationnel, de la religion quelconque qui succéderait au culte du Christ,
pourvu que cette religion fût digne de l'humanité et
de Dieu! C'est le temple le plus abstrait que jamais
5 le génie humain, inspiré d'une idée divine, ait construit
ici-bas. Quand on y entre, on ne sait pas si l'on entre
dans un temple antique ou dans un temple moderne;
aucun détail n'offusque l'œil, aucun symbole ne distrait la pensée; les hommes de tous les cultes y entrent
10 avec le même respect. On sent que c'est un temple
qui ne peut être habité que par l'idée de Dieu, et que
toute autre idée ne le remplirait pas.

Changez le prêtre, ôtez l'autel, détachez les tableaux,
emportez les statues, rien n'est changé, c'est toujours
15 la maison de Dieu! ou plutôt, Saint-Pierre est à lui
seul un grand symbole de ce christianisme éternel, qui,
possédant en germe dans sa morale et dans sa sainteté
les développements successifs de la pensée religieuse
de tous les siècles et de tous les hommes, s'ouvre à la
20 raison à mesure que Dieu la fait luire, communique
avec Dieu dans la lumière, s'élargit et s'élève aux proportions de l'esprit humain, grandissant sans cesse, et
recueillant tous les peuples dans l'unité d'adoration,
fait de toutes les formes divines un seul Dieu, de
25 toutes les fois un seul culte, et de tous les peuples une
seule humanité.

Michel-Ange est le Moïse du catholicisme monu-
mental, tel qu'il sera un jour compris. Il a fait
l'arche impérissable des temps futurs, le Panthéon de
30 la raison divinisée.

VII

Enfin après m'être assouvi de Rome, je voulus voir Naples. C'est le tombeau de Virgile[1] et le berceau du Tasse[2] qui m'y attiraient surtout. Les pays ont toujours été pour moi des hommes. Naples, c'est Virgile et le Tasse. Il me semblait qu'ils avaient 5 vécu hier et que leur cendre était encore tiède. Je voyais d'avance le Pausilippe et Sorrente, le Vésuve et la mer, à travers l'atmosphère de leurs beaux et tendres génies.

Je partis pour Naples vers les derniers jours de 10 mars. Je voyageais en chaise de poste avec un négo- ciant français qui avait cherché un compagnon de route pour alléger les frais du voyage. A quelque distance de Velletri,[3] nous rencontrâmes la voiture du courrier de Rome à Naples renversée sur les bords du 15 chemin et criblée de balles. Le courrier, un postillon et deux chevaux avaient été tués. On venait d'empor- ter les hommes dans une masure voisine. Les dé- pêches déchirées et les lambeaux de lettres flottaient au vent. Les brigands avaient repris la route des 20 Abruzzes.[4] Des détachements de cavalerie et d'infan- terie française, dont les corps étaient campés à Terra- cine,[5] les poursuivaient parmi les rochers. On enten- dait le feu des tirailleurs, et on voyait sur tout le flanc de la montagne les petites fumées des coups de fusil. 25 De distance en distance, nous rencontrions des postes de troupes françaises et napolitaines échelonnés sur la

route. C'est ainsi qu'on entrait alors dans le royaume
de Naples.

Ce brigandage avait un caractère politique. Murat
régnait.[1] Les Calabres[2] résistaient encore; le roi Ferdinand,[3] retiré en Sicile, soutenait de ses subsides les
chefs de guerrillas dans les montagnes. Le fameux
Fra Diavolo[4] combattait à la tête de ces bandes. Leurs
exploits étaient des assassinats. Nous ne trouvâmes
l'ordre et la sécurité qu'aux environs de Naples.

J'y arrivai le 1er avril. J'y fus rejoint quelques
jours plus tard par un jeune homme de mon âge, avec
qui je m'étais lié au collège d'une amitié vraiment
fraternelle. Il s'appelait Aymon de Virieu.[5] Sa vie
et la mienne ont été tellement mêlées depuis son enfance jusqu'à sa mort, que nos deux existences font
comme partie l'une de l'autre, et que j'ai parlé de lui
presque partout où j'ai eu à parler de moi.   .   .   .

.   .   .   .

ÉPISODE

I

JE menais à Naples à peu près la même vie contem-
plative qu'à Rome chez le vieux peintre de la place
d'Espagne; seulement, au lieu de passer mes journées
à errer parmi les débris de l'antiquité, je les passais à
errer ou sur les bords ou sur les flots du golfe de
Naples. Je revenais le soir au vieux couvent où,
grâce à l'hospitalité du parent de ma mère, j'habitais

une petite cellule qui touchait aux toits, et dont le balcon, festonné de pots de fleurs et de plantes grimpantes, ouvrait sur la mer, sur le Vésuve, sur Castellamare et sur Sorrente.

Quand l'horizon du matin était limpide, je voyais 5
briller la maison blanche du Tasse,[1] suspendue comme
un nid de cygne au sommet d'une falaise de rocher
jaune, coupé à pic par les flots. Cette vue me ravissait.
La lueur de cette maison brillait jusqu'au fond de mon
âme. C'était comme un éclair de gloire qui étincelait 10
de loin sur ma jeunesse et dans mon obscurité. Je me
souvenais de cette scène homérique[2] de la vie de ce
grand homme, quand, sorti de prison, poursuivi par
l'envie des petits et par la calomnie des grands, bafoué
jusque dans son génie, sa seule richesse, il revient à 15
Sorrente chercher un peu de repos, de tendresse ou de
pitié, et que, déguisé en mendiant, il se présente à
sa sœur pour tenter son cœur et voir si elle, au moins,
reconnaîtra celui qu'elle a tant aimé.

« Elle le reconnaît à l'instant, dit le biographe naïf, 20
malgré sa pâleur maladive, sa barbe blanchissante et
son manteau déchiré. Elle se jette dans ses bras avec
plus de tendresse et de miséricorde que si elle eût
reconnu son frère sous les habits d'or des courtisans de
Ferrare.[3] Sa voix est étouffée longtemps par ses 25
sanglots; elle presse son frère contre son cœur. Elle
lui lave les pieds, elle lui apporte le manteau de son
père; elle lui fait préparer un repas de fête. Mais ni
l'un ni l'autre ne purent toucher aux mets qu'on avait
servis, tant leurs cœurs étaient pleins de larmes; et ils 30
passèrent le jour à pleurer, sans se rien dire, en regardant la mer et en se souvenant de leur enfance.»

II

Un jour, c'était au commencement de l'été, au moment où le golfe de Naples, bordé de ses collines, de
ses maisons blanches, de ses rochers tapissés de vignes
grimpantes et entourant sa mer plus bleue que son
5 ciel, ressemble à une coupe de vert antique qui blanchit
d'écume, et dont le lierre et le pampre festonnent les
anses et les bords ; c'était la saison où les pêcheurs du
Pausilippe, qui suspendent leurs cabanes à ses rochers
et qui étendent leurs filets sur ses petites plages de
10 sable fin, s'éloignent de la terre avec confiance et vont
pêcher la nuit à deux ou trois lieues en mer, jusque
sous les falaises de Capri, de Procida, d'Ischia, et au
milieu du golfe de Gaëte.

Quelques-uns portent avec eux des torches de ré-
15 sine, qu'ils allument pour tromper le poisson. Le poisson monte à la lueur, croyant que c'est le crépuscule
du jour. Un enfant, accroupi sur la proue de la
barque, penche en silence la torche inclinée sur la
vague, pendant que le pêcheur, plongeant de l'œil au
20 fond de l'eau, cherche à apercevoir sa proie et à l'envelopper de son filet. Ces feux, rouges comme des
foyers de fournaise, se reflètent en long sillons on-
doyants sur la nappe de la mer, comme les longues
traînées de lueurs qu'y projette le globe de la lune.
25 L'ondoiement des vagues les fait osciller et en prolonge
l'éblouissement de lame en lame aussi loin que la
première vague les reflète aux vagues qui la suivent.

III

Nous passions souvent, mon ami et moi, des heures entières assis sur un écueil ou sur les ruines humides du palais de la reine Jeanne,[1] à regarder ces lueurs fantastiques et à envier la vie errante et insouciante de ces pauvres pêcheurs.   5

Quelques mois de séjour à Naples, la fréquentation habituelle des hommes du peuple pendant nos courses de tous les jours dans la campagne et sur la mer, nous avaient familiarisés avec leur langage accentué et sonore, où le geste et le regard tiennent plus de place que 10 le mot.   Philosophes par pressentiment et fatigués des agitations vaines de la vie avant de les avoir connues, nous portions souvent envie à ces heureux lazzaroni[2] dont la plage et les quais de Naples étaient alors couverts, qui passaient leurs jours à dormir, à l'ombre 15 de leur petite barque, sur le sable, à entendre les vers improvisés de leurs poètes ambulants, et à danser la tarentela[3] avec les jeunes filles de leur caste, le soir, sous quelque treille au bord de la mer.   Nous connaissions leurs habitudes, leur caractère et leurs mœurs, 20 beaucoup mieux que celles du monde élégant, où nous n'allions jamais.   Cette vie nous plaisait et endormait en nous ces mouvements fiévreux de l'âme, qui usent inutilement l'imagination des jeunes hommes, avant l'heure où leur destinée les appelle à agir ou à penser. 25

Mon ami avait vingt ans, j'en avais dix-huit; nous

étions donc tous deux à cet âge où il est permis de confondre les rêves avec les réalités.

Nous résolûmes de lier connaissance avec ces pêcheurs et de nous embarquer avec eux pour mener
5 quelques jours la même vie. Ces nuits tièdes et lumi-
neuses passées sous la voile, dans ce berceau ondoyant
des lames et sous le ciel profond et étoilé, nous semblaient une des plus mystérieuses voluptés de la nature,
qu'il fallait surprendre et connaître, ne fût-ce que pour
10 la raconter.

Libres et sans avoir de compte à rendre de nos ac-
tions et de nos absences à personne, le lendemain nous
exécutâmes ce que nous avions rêvé. En parcourant la
plage de la Margellina,[1] qui s'étend sous le tombeau
15 de Virgile, au pied du mont Pausilippe, et où les pêcheurs de Naples tirent leurs barques sur le sable et
raccommodent leurs filets, nous vîmes un vieillard encore robuste. Il embarquait ses ustensils de pêche
dans son caïque peint de couleurs éclatantes et sur-
20 monté à la poupe d'une petite image sculptée de saint
François.[2] Un enfant de douze ans, son seul rameur,
apportait en ce moment dans la barque deux pains, un
fromage de buffle dur, luisant et doré comme les cail-
loux de la plage, quelques figues et une cruche de
25 terre qui contenait de l'eau.

La figure du vieillard et celle de l'enfant nous at-
tirèrent. Nous liâmes conversation. Le pêcheur se
prit à sourire quand nous lui proposâmes de nous recevoir pour rameurs et de nous mener en mer avec lui.
30 « Vous n'avez pas les mains calleuses qu'il faut pour
toucher le manche de la rame, nous dit-il. Vos
mains blanches sont faites pour toucher des plumes

et non du bois; ce serait dommage de les durcir à la
mer.

— Nous sommes jeunes, répondit mon ami, et nous
voulons essayer de tous les métiers avant d'en choisir
un. Le vôtre nous plaît, parce qu'il se fait sur la mer 5
et sous le ciel.

— Vous avez raison, répliqua le vieux batelier, c'est
un métier qui rend le cœur content et l'esprit confiant
dans la protection des saints. Le pêcheur est sous la
garde immédiate du ciel. L'homme ne sait pas d'où 10
viennent le vent et la vague. Le rabot et la lime sont
dans la main de l'ouvrier, la richesse ou la faveur sont
dans la main du roi, mais la barque est dans la main
de Dieu.»

Cette pieuse philosophie du barcarole[1] nous attacha 15
davantage à l'idée de nous embarquer avec lui. Après
une longue résistance, il y consentit. Nous convînmes
de lui donner chacun deux carlins[2] par jour pour lui
payer notre apprentissage et notre nourriture.

Ces conventions faites, il envoya l'enfant chercher à 20
la Margellina un surcroît de provisions de pain, de vin,
de fromages secs et de fruits. A la tombée du jour,
nous l'aidâmes à mettre sa barque à flot et nous
partîmes.

IV

La première nuit fut délicieuse. La mer était calme 25
comme un lac encaissé dans les montagnes de la Suisse.
A mesure que nous nous éloignions du rivage, nous
voyions les langues de feu des fenêtres du palais et des
quais de Naples s'ensevelir sous la ligne sombre de

l'horizon. Les phares seuls nous montraient la côte.
Ils pâlissaient devant la légère colonne de feu qui
s'élançait du cratère du Vésuve. Pendant que le pêcheur jetait et tirait le filet, et que l'enfant, à moitié
5 endormi, laissait vaciller sa torche, nous donnions de
temps en temps une faible impulsion à la barque, et
nous écoutions avec ravissement les gouttes sonores
de l'eau, qui ruisselaient de nos rames, tomber har-
monieusement dans la mer comme des perles dans un
10 bassin d'argent.

Nous avions déjà doublé depuis longtemps la pointe
du Pausilippe, traversé le golfe de Pouzzoles,[1] celui
de Baïa,[2] et franchi le canal du golfe de Gaëte, entre
le cap Misène et l'île de Procida. Nous étions en pleine
15 mer ; le sommeil nous gagnait. Nous nous couchâmes
sous nos bancs, à côté de l'enfant.

Le pêcheur étendit sur nous la lourde voile pliée au
fond de la barque. Nous nous endormîmes ainsi
entre deux lames, bercés par le balancement insensible
20 d'une mer qui faisait à peine incliner le mât. Quand
nous nous réveillâmes, il était grand jour.

Un soleil étincelant moirait la mer de rubans de
feu et se réverbérait sur les maisons blanches d'une
côte inconnue. Une légère brise, qui venait de cette
25 terre, faisait palpiter la voile sur nos têtes et nous
poussait d'anse en anse et de rocher en rocher. C'était
la côte dentelée et à pic de la charmante île d'Ischia,
que je devais tant habiter et tant aimer plus tard.
Elle m'apparaissait, pour la première fois, nageant
30 dans la lumière, sortant de la mer, se perdant dans le
bleu du ciel, et éclose comme d'un rêve de poète pendant le léger sommeil d'une nuit d'été. . . .

V

L'Ile d'Ischia, qui sépare le golfe de Gaëte du golfe
de Naples, et qu'un étroit canal sépare elle-même de
l'île de Procida, n'est qu'une seule montagne à pic dont
la cime blanche et foudroyée plonge ses dents ébré-
chées dans le ciel. Ses flancs abrupts, creusés de
vallons, de ravines, de lits de torrents, sont revêtus du
haut en bas de châtaigniers d'un vert sombre. Ses
plateaux les plus rapprochés de la mer et inclinés sur
les flots portent des chaumières, des villas rustiques et
des villages à moitié cachés sous les treilles de vigne.
Chacun de ces villages a sa *marine*. On appelle ainsi
le petit port où flottent les barques des pêcheurs de
l'île et où se balancent quelques mâts de navires à
voile latine.[1] Les vergues touchent aux arbres et aux
vignes de la côte.

Il n'y a pas une de ces maisons, suspendue aux
pentes de la montagne, cachée au fond de ces ravins,
pyramidant sur un de ces plateaux, projetée sur un de
ces ceps, adossée à son bois de châtaigniers, ombragée
par son groupe de pins, entourée de ses arcades
blanches et festonnée de ses treilles pendantes, qui ne
fût en songe la demeure idéale d'un poète ou d'un
amant.

Nos yeux ne se lassaient pas de ce spectacle. La
côte abondait en poissons. Le pêcheur avait fait une
bonne nuit. Nous abordâmes à une des petites anses
de l'île pour puiser de l'eau à une source voisine et
pour nous reposer sous les rochers. Au soleil bais-

sant, nous revînmes à Naples, couchés sur nos bancs
de rameurs.   Une voile carrée, placée en travers d'un
petit mât sur la proue, dont l'enfant tenait l'écoute,
suffisait pour nous faire longer les falaises de Procida
5 et du cap Misène, et pour faire écumer la surface de la
mer sous notre esquif.

Le vieux pêcheur et l'enfant, aidés par nous, tirèrent leur barque sur le sable et emportèrent les paniers
de poisson dans la cave de la petite maison qu'ils
10 habitaient sous les rochers de la Margellina.

VI

Les jours suivants, nous reprîmes gaiement notre
nouveau métier.   Nous écumâmes tour à tour tous les
flots de la mer de Naples.   Nous suivions le vent avec
indifférence partout où il soufflait.   Nous visitâmes
15 ainsi l'île de Capri, d'où l'imagination repousse encore
l'ombre sinistre de Tibère;[1] Cumes et ses temples en-
sevelis sous les lauriers touffus et sous les figuiers
sauvages; Baïa et ses plages mornes, qui semblent
avoir vieilli et blanchi comme ces Romains dont elles
20 abritaient jadis la jeunesse et les délices; Portici et
Pompéia, riant sous la lave et sous la cendre du Vésuve; Castellamare, dont les hautes et noires forêts de
lauriers et de châtaigniers sauvages, en se répétant dans
la mer, teignent en vert sombre les flots toujours mur-
25 murants de la rade.   Le vieux batelier connaissait partout quelques familles de pêcheurs comme lui, où
nous recevions l'hospitalité quand la mer était grosse et
nous empêchait de rentrer à Naples.

Pendant deux mois, nous n'entrâmes pas dans une auberge. Nous vivions en plein air avec le peuple et de la vie frugale du peuple. Nous nous étions fait peuple nous-mêmes pour être plus près de la nature. Nous avions presque son costume. Nous parlions sa 5 langue, et la simplicité de ses habitudes nous communiquait, pour ainsi dire, la naïveté de ses sentiments.

Cette transformation, d'ailleurs, nous coûtait peu à mon ami et à moi. Élevés tous deux à la campagne 10 pendant les orages de la Révolution, qui avait abattu ou dispersé nos familles, nous avions beaucoup vécu, dans notre enfance, de la vie du paysan : lui, dans les montagnes du Grésivaudan,[1] chez une nourrice qui l'avait recueilli pendant l'emprisonnement de sa mère ; 15 moi, sur les collines du Mâconnais,[2] dans la petite demeure rustique où mon père et ma mère avaient recueilli leur nid menacé. Du berger ou du laboureur de nos montagnes au pêcheur du golfe de Naples, il n'y a de différence que le site, la langue et le métier. Le 20 sillon ou la vague inspirent les mêmes pensées aux hommes qui labourent la terre ou l'eau. La nature parle la même langue à ceux qui cohabitent avec elle sur la montagne ou sur la mer.

Nous l'éprouvions. Au milieu de ces hommes 25 simples, nous ne nous trouvions pas dépaysés. Les mêmes instincts sont une parenté entre les hommes. La monotonie même de cette vie nous plaisait en nous endormant. Nous voyions avancer avec peine la fin de l'été et approcher ces jours d'automne et d'hiver 30 après lesquels il faudrait rentrer dans notre patrie. Nos familles, inquiètes, commençaient à nous rappe-

ler. Nous éloignions autant que nous le pouvions
cette idée de départ, et nous aimions à nous figurer
que cette vie n'aurait point de terme.

VII

CEPENDANT septembre commençait avec ses pluies
5 et ses tonnerres. La mer était moins douce. Notre
métier, plus pénible, devenait quelquefois dangereux.
Les brises fraîchissaient, la vague écumait et nous
trempait souvent de ses jaillissements. Nous avions
acheté sur le môle deux de ces capotes de grosse laine
10 brune que les matelots et les lazzaroni de Naples jettent, pendant l'hiver, sur leurs épaules. Les manches
larges de ces capotes pendent à côté des bras nus. Le
capuchon, flottant en arrière ou ramené sur le front,
selon le temps, abrite la tête du marin de la pluie et
15 du froid, ou laisse la brise et les rayons du soleil se
jouer dans ses cheveux mouillés.

Un jour, nous partîmes de la Margellina par une
mer d'huile, que ne ridait aucun souffle, pour aller
pêcher des rougets et les premiers thons sur la côte de
20 Cumes, où les courants les jettent dans cette saison.
Les brouillards roux du matin flottaient à mi-côte et
annonçaient un coup de vent pour le soir. Nous espérions le prévenir et avoir le temps de doubler le cap
Misène avant que la mer lourde et dormante fût sou-
25 levée.

La pêche était abondante. Nous voulûmes jeter
quelques filets de plus. Le vent nous surprit : il tomba

du sommet de l'Époméo,[1] immense montagne qui domine Ischia, avec le bruit et le poids de la montagne elle-même qui s'écroulerait dans la mer. Il aplanit d'abord tout l'espace liquide autour de nous, comme la herse de fer aplanit la glèbe et nivelle les sillons ; puis la vague, revenue de sa surprise, se gonfla murmurante et creuse, et s'éleva, en peu de minutes, à une telle hauteur, qu'elle nous cachait de temps à autre, la côte et les îles.

Nous étions également loin de la terre ferme et d'Ischia, et déjà à demi engagés dans le canal qui sépare le cap Misène de l'île grecque de Procida.[2] Nous n'avions qu'un parti à prendre :[3] nous engager résolûment dans le canal, et, si nous réussissions à le franchir, nous jeter à gauche dans le golfe de Baïa et nous abriter dans ses eaux tranquilles.

Le vieux pêcheur n'hésita pas. Du sommet d'une lame où l'équilibre de la barque nous suspendit un moment dans un tourbillon d'écume, il jeta un regard rapide autour de lui, comme un homme égaré qui monte sur un arbre pour chercher sa route ; puis, se précipitant au gouvernail : « A vos rames, enfants ! s'écria-t-il ; il faut que nous voguions au cap plus vite que le vent ; s'il nous y devance, nous sommes perdus !» Nous obéîmes comme le corps obéit à l'instinct.

Les yeux fixés sur ses yeux pour y chercher le rapide indice de sa direction, nous nous penchâmes sur nos avirons, et tantôt gravissant péniblement le flanc des lames montantes, tantôt nous précipitant avec leur écume au fond des lames descendantes, nous cherchions à activer notre ascension ou à ralentir notre chute par la résistance de nos rames dans l'eau. Huit

ou dix vagues de plus en plus énormes nous jetèrent
dans le plus étroit du canal.   Mais le vent nous avait
devancés, comme l'avait dit le pilote, et, en s'engouf-
frant entre le cap et la pointe de l'ile, il avait acquis
5 une telle force, qu'il soulevait la mer avec les bouillonnements d'une lave furieuse, et que la vague, ne
trouvant pas d'espace pour fuir assez vite devant
l'ouragan qui la poussait, s'amoncelait sur elle-même,
retombait, ruisselait, s'éparpillait dans tous les sens
10 comme une mer folle, et cherchant à fuir sans pouvoir
s'échapper du canal, se heurtait avec des coups terribles
contre les rochers à pic du cap Misène et y élevait une
colonne d'écume dont la poussière était renvoyée jusque sur nous.

VIII

15　TENTER de franchir ce passage avec une barque aussi
fragile, et qu'un simple jet d'écume pouvait remplir
et engloutir, c'était insensé.   Le pêcheur jeta sur le
cap éclairé par sa colonne d'écume un regard que je
n'oublierai jamais, puis faisant le signe de la croix :
20 « Passer est impossible, s'écria-t-il ; reculer dans la
grande mer, encore plus ; il ne nous reste qu'un parti :
aborder à Procida ou périr.»

　　Tout novices que nous fussions dans la pratique de
la mer, nous sentions la difficulté d'une pareille ma-
25 nœuvre par un coup de vent.   En nous dirigeant vers
le cap, le vent nous prenait en poupe, nous chassait
devant lui ; nous suivions la mer qui fuyait avec nous,
et les vagues, en nous élevant sur leur sommet, nous

relevaient avec elles. Elles avaient donc moins de
chance de nous ensevelir dans les abîmes qu'elles creu-
saient. Mais pour aborder à Procida, dont nous aper-
cevions les feux du soir briller à notre droite, il fallait
prendre obliquement les lames et nous glisser, pour 5
ainsi dire, dans leurs vallées vers la côte, en présentant
le flanc à la vague et les minces bords de la barque au
vent. Cependant la nécessité ne nous permettait pas
d'hésiter. Le pêcheur, nous faisant signe de relever
nos rames, profita de l'intervalle d'une lame à une 10
autre pour virer de bord. Nous mîmes le cap sur[1]
Procida et nous voguâmes comme un brin d'herbe
marine qu'une vague jette à l'autre vague et que le flot
reprend au flot.

IX

Nous avancions peu. La nuit était tombée. La 15
poussière, l'écume, les nuages que le vent roulait en
lambeaux déchirés sur le canal, en redoublaient l'obscurité. Le vieillard avait ordonné à l'enfant d'allumer
une de ses torches de résine, soit pour éclairer la ma-
nœuvre dans les profondeurs de la mer, soit pour indi- 20
quer aux marins de Procida qu'une barque était en
perdition dans le canal, et pour demander non leur
secours mais leurs prières.

C'était un spectacle sublime et sinistre que celui de
ce pauvre enfant accroché d'une main au petit mât qui 25
surmontait la proue, et de l'autre, élevant au-dessus de
sa tête cette torche de feu rouge, dont la flamme et la
fumée se tordaient sous le vent et lui brûlaient les

doigts et les cheveux.   Cette étincelle flottante, apparaissant au sommet des lames et disparaissant dans leur profondeur, toujours prête à s'éteindre et toujours rallumée, était comme le symbole de ces quatre vies
5 d'hommes qui luttaient entre le salut et la mort dans les ombres et les angoisses de cette nuit.

X

TROIS heures, dont les minutes ont la durée des pensées qui les mesurent, s'écoulèrent ainsi.   La lune se leva, et, comme c'est l'habitude, le vent plus furieux
10 se leva avec elle.   Si nous avions eu la moindre voile, il nous eût chavirés vingt fois.   Quoique les bords très bas de la barque donnassent peu de prise à l'ouragan, il y avait des moments où il semblait déraciner notre quille des flots, et où il nous faisait tournoyer comme
15 une feuille sèche arrachée à l'arbre.

Nous embarquions beaucoup d'eau ; nous ne pouvions suffire à la vider aussi vite qu'elle nous envahissait.   Il y avait des moments où nous sentions les planches s'affaisser sous nous comme un cercueil qui
20 descend dans la fosse.   Le poids de l'eau rendait la barque moins obéissante et pouvait la rendre plus lente à se relever une fois entre deux lames.   Une seule seconde de retard, et tout était fini.

Le vieillard, sans pouvoir parler, nous fit signe, les
25 larmes aux yeux, de jeter à la mer tout ce qui encombrait le fond de la barque.   Les jarres d'eau, les paniers de poissons, les deux grosses voiles, l'ancre de fer, les cordages, jusqu'à ses paquets de lourdes

hardes, nos capotes même de grosse laine trempées
d'eau, tout passa par-dessus le bord. Le pauvre nau-
tonier regarda un moment surnager toute sa richesse;
la barque se releva et courut légèrement sur la crête
des vagues, comme un coursier que l'on a déchargé.   5

Nous entrâmes insensiblement dans une mer plus
douce, un peu abritée par la pointe occidentale de Procida. Le vent faiblit, la flamme de la torche se re-
dressa, la lune ouvrit une grande percée bleue entre
les nuages; les lames, en s'allongeant, s'aplanirent et 10
cessèrent d'écumer sur nos têtes. Peu à peu la mer
fut courte et clapoteuse comme dans une anse presque
tranquille, et l'ombre noire de la falaise de Procida
nous coupa la ligne de l'horizon. Nous étions dans les
eaux du milieu de l'île.   15

XI

La mer était trop grosse à la pointe[1] pour en chercher le port. Il fallut nous résoudre à aborder l'île
par ses flancs et au milieu de ses écueils. « N'ayons
plus d'inquiétude, enfants, nous dit le pêcheur en reconnaissant le rivage à la clarté de la torche, la Ma- 20
done nous a sauvés. Nous tenons la terre,[2] et nous
coucherons cette nuit dans ma maison.» Nous crûmes
qu'il avait perdu l'esprit, car nous ne lui connaissions
d'autre demeure que sa cave sombre de la Margellina,
et, pour y revenir avant la nuit, il fallait se jeter dans 25
le canal, doubler le cap et affronter de nouveau la mer
mugissante à laquelle nous venions d'échapper.

Mais lui souriait de notre air d'étonnement, et com-

prenant nos pensées dans nos yeux : « Soyez tranquilles, jeunes gens, reprit-il, nous arriverons sans qu'une
seule vague nous mouille.» Puis il nous expliqua qu'il
était de Procida ; qu'il possédait encore sur cette côte
5 de l'île la cabane et le jardin de son père, et qu'en ce
moment même, sa femme âgée, avec sa petite-fille,
sœur de Beppino, notre jeune mousse, et deux autres
petits-enfants, étaient dans sa maison pour y sécher les
figues et pour y vendanger les treilles dont ils ven-
10 daient les raisins à Naples. « Encore quelques coups
de rame, ajouta-t-il, et nous boirons de l'eau de la
source, qui est plus limpide que le vin d'Ischia.»

Ces mots nous rendirent courage ; nous ramâmes
encore pendant l'espace d'environ une lieue, le long de
15 la côte droite et écumeuse de Procida. De temps en
temps l'enfant élevait et secouait sa torche. Elle jetait
sa lueur sinistre sur les rochers, et nous montrait partout une muraille inabordable. Enfin, au tournant
d'une pointe de granit qui s'avançait en forme de bas-
20 tion dans la mer, nous vîmes la falaise fléchir et se
creuser un peu comme une brèche dans un mur d'enceinte ; un coup de gouvernail nous fit virer droit à la
côte, trois dernières lames jetèrent notre barque ha-
rassée entre deux écueils, où l'écume bouillonnait sur
25 un bas-fond.

XII

La proue, en touchant la roche, rendit un son sec et
éclatant, comme le craquement d'une planche qui
tombe à faux[1] et qui se brise. Nous sautâmes dans la

mer, nous amarrâmes de notre mieux la barque avec un
reste de cordage, et nous suivîmes le vieillard et l'enfant qui marchaient devant nous.

Nous gravîmes contre le flanc de la falaise une espèce de rampe étroite où le ciseau avait creusé dans le 5
rocher des degrés inégaux, tout glissants de la poussière de la mer. Cet escalier de roc vif, qui manquait
quelquefois sous les pieds, était remplacé par quelques
marches artificielles qu'on avait formées en enfonçant
par la pointe de longues perches dans les trous de la 10
muraille, et en jetant sur ce plancher tremblant des
planches goudronnées de vieilles barques, ou des fagots
de branches de châtaignier garnies de leurs feuilles
sèches.

Après avoir monté ainsi lentement environ quatre ou 15
cinq cents marches, nous nous trouvâmes dans une petite cour suspendue qu'entourait un parapet de pierres
grises. Au fond de la cour s'ouvraient deux arches
sombres qui semblaient devoir conduire à un cellier.
Au-dessus de ces arches massives, deux arcades arron- 20
dies et surbaissées[1] portaient un toit en terrasse, dont
les bords étaient garnis de pots de romarin et de basilic.
Sous les arcades on apercevait une galerie rustique où
brillaient, comme des lustres d'or, aux clartés de la
lune, des régimes[2] de maïs suspendus. 25

Une porte en planches mal jointes ouvrait sur cette
galerie. A droite, le terrain sur lequel la maisonnette
était inégalement assise s'élevait jusqu'à la hauteur du
plain-pied[3] de la galerie. Un gros figuier et quelques
ceps tortueux de vigne se penchaient de là sur l'angle 30
de la maison, en confondant leurs feuilles et leurs
fruits sous les ouvertures de la galerie et en jetant

deux ou trois festons serpentant sur le mur d'appui des
arcades.   Leurs branches grillaient à demi deux fenêtres basses qui s'ouvraient sur cette espèce de jardin,
et, si ce n'eût été ces fenêtres, on eût pu prendre la
5 maison massive, carrée et basse, pour un des rochers
gris de cette côte, ou pour un de ces blocs de lave re-
froidie que le châtaignier, la lierre et la vigne pressent
et ensevelissent de leurs rameaux, et où le vigneron de
Castellamare ou de Sorrente creuse une grotte fermée
10 d'une porte pour conserver son vin à côté du cep qui
l'a porté.

Essoufflés par la montée longue et rapide que nous
venions de faire et par le poids de nos rames que nous
portions sur nos épaules, nous nous arrêtâmes un mo-
15 ment, le vieillard et nous, pour reprendre haleine dans
cette cour.   Mais l'enfant, jetant sa rame sur un tas
de broussailles et gravissant légèrement l'escalier, se
mit à frapper à l'une des fenêtres avec sa torche encore
allumée, en appelant d'une voix joyeuse sa grand'mère
20 et sa sœur : « Ma mère ! ma sœur ! *Madre ! sorellina !*[1]
criait-il, *Gaetana ! Graziella !* réveillez-vous ; ouvrez,
c'est le père, c'est moi ; ce sont des étrangers avec
nous.»

Nous entendîmes une voix mal éveillée, mais claire
25 et douce, qui jetait confusément quelques exclamations de surprise du fond de la maison.   Puis le battant[2] d'une fenêtre s'ouvrit à demi, poussé par un bras
nu et blanc qui sortait d'une manche flottante, et nous
vîmes, à la lueur de la torche que l'enfant élevait vers
30 la fenêtre en se dressant sur la pointe des pieds, une
ravissante figure de jeune fille apparaître entre les volets plus ouverts.

Surprise au milieu de son sommeil par la voix de
son frère, Graziella n'avait eu ni la pensée ni le temps
de s'arranger une toilette de nuit. Elle s'était élancée
pieds nus à la fenêtre. De ses longs cheveux noirs la
moitié tombait sur une de ses joues ; l'autre moitié se   5
tordait autour de son cou, puis, emportée de l'autre côté
de son épaule par le vent qui soufflait avec force, frappait le volet entr'ouvert et revenait lui fouetter le visage comme l'aile d'un corbeau battue du vent.

Du revers de ses deux mains, la jeune fille se frot-   10
tait les yeux en élevant ses coudes et en dilatant ses
épaules avec ce premier geste d'un enfant qui se ré-
veille et qui veut chasser le sommeil. Ses yeux, ovales
et grands, étaient de cette couleur indécise entre le noir
foncé et le bleu de mer, qui adoucit le rayonnement par   15
l'humidité du regard, et qui mêle à proportions égales
dans des yeux de femme la tendresse de l'âme avec
l'énergie de la passion, teinte céleste que les yeux des
femmes de l'Asie et de l'Italie empruntent au feu brûlant de leur jour de flamme et à l'azur serein de leur   20
ciel, de leur mer et de leur nuit. Les joues étaient pleines, arrondies, d'un contour ferme, mais d'un teint un
peu pâle et un peu bruni par le climat, non de cette
pâleur maladive du Nord, mais de cette blancheur
saine du Midi, qui ressemble à la couleur du marbre   25
exposé depuis des siècles à l'air et aux flots. La bouche, dont les lèvres étaient ouvertes et plus épaisses
que celles des femmes de nos climats, avait les plis de
la candeur et de la bonté. Les dents courtes, mais
éclatantes, brillaient aux lueurs flottantes de la torche   30
comme des écailles de nacre aux bords de la mer sous
la moire de l'eau frappée du soleil.

Tandis qu'elle parlait à son petit frère, ses paroles vives, un peu âpres et accentuées, dont la moitié était emportée par la brise, résonnaient comme une musique à nos oreilles. Sa physionomie, aussi mobile que les lueurs de la torche qui l'éclairait, passa en une minute de la surprise à l'effroi, de l'effroi à la gaieté, de la tendresse au rire; puis elle nous aperçut derrière le tronc du gros figuier, elle se retira, confuse, de la fenêtre, sa main abandonna le volet, qui battit librement la muraille; elle ne prit que le temps d'éveiller sa grand'mère et de s'habiller à demi, elle vint nous ouvrir la porte sous les arcades et embrasser, tout émue, son grand-père et son frère.

XIII

La vieille mère parut bientôt, tenant à la main une lampe de terre rouge qui éclairait son visage maigre et pâle et ses cheveux aussi blancs que les écheveaux de laine qui floconnaient sur la table autour de sa quenouille. Elle baisa la main de son mari et le front de l'enfant. Tout le récit que contiennent ces lignes fut échangé en quelques mots et en quelques gestes entre les membres de cette pauvre famille. Nous n'entendions pas tout. Nous nous tenions un peu à l'écart pour ne pas gêner l'épanchement du cœur de nos hôtes. Ils étaient pauvres; nous étions étrangers; nous leur devions le respect. Notre attitude réservée à la dernière place et près de la porte le leur témoignait silencieusement.

Graziella jetait de temps en temps un regard étonné

et comme du fond d'un rêve sur nous. Quand le père eut fini de raconter, la vieille mère tomba à genoux près du foyer; Graziella, montant sur la terrasse, rapporta une branche de romarin et quelques fleurs d'oranger à larges étoiles blanches; elle prit une chaise, elle 5 attacha le bouquet, avec de longues épingles tirées de ses cheveux, devant une petite statue enfumée de la Vierge, placée au-dessus de la porte et devant laquelle brûlait une lampe. Nous comprîmes que c'était une action de grâces à sa divine protectrice pour avoir sauvé 10 son grand-père et son frère, et nous prîmes notre part de sa reconnaissance.

XIV

L'INTÉRIEUR de la maison était aussi nu et aussi semblable au rocher que le dehors. Il n'y avait que les murs sans enduit, blanchis seulement d'un peu de 15 chaux. Les lézards, réveillés par la lueur, glissaient et bruissaient dans les interstices des pierres et sous les feuilles de fougères qui servaient de lit aux enfants. Les nids d'hirondelles, dont on voyait sortir les petites têtes noires et briller les yeux inquiets, étaient suspen- 20 dus aux solives couvertes d'écorce qui formaient le toit. Graziella et sa grand'mère couchaient ensemble dans la seconde chambre, sur un lit unique, recouvert de morceaux de voiles. Des paniers de fruits et un bât de mulet jonchaient le plancher. 25

Le pêcheur se tourna vers nous avec une espèce de honte, en nous montrant de sa main la pauvreté de sa demeure; puis il nous conduisit sur la terrasse, place

d'honneur dans l'Orient et dans le midi de l'Italie.
Aidé de l'enfant et de Graziella, il fit une espèce de
hangar en appuyant une des extrémités de nos rames
sur le mur du parapet de la terrasse, l'autre extrémité
5 sur le plancher. Il couvrit cet abri d'une douzaine de
fagots de châtaigniers fraîchement coupés dans la
montagne; il étendit quelques bottes de fougères
sous ce hangar; il nous apporta deux morceaux de
pain, de l'eau fraîche et des figues, et il nous invita à
10 dormir.

Les fatigues et les émotions du jour nous rendirent
le sommeil soudain et profond. Quand nous nous réveillâmes, les hirondelles criaient déjà autour de notre
couche, en rasant la terrasse, pour y dérober les miettes
15 de notre souper; et le soleil, déjà haut dans le ciel,
échauffait comme un four les fagots de feuilles qui
nous servaient de toit.

Nous restâmes longtemps étendus sur notre fou-
gère dans cet état de demi-sommeil qui laisse l'homme
20 moral sentir et penser avant que l'homme des sens ait
le courage de se lever et d'agir. Nous échangions
quelques paroles inarticulées qu'interrompaient de
longs silences et qui retombaient dans les rêves. La
pêche de la veille, la barque balancée sous nos pieds,
25 la mer furieuse, les rochers inaccessibles, la figure de
Graziella entre deux volets, aux clartés de la résine,
toutes ces images se croisaient, se brouillaient, se con-
fondaient en nous.

Nous fûmes tirés de cette somnolence par les san-
30 glots et les reproches de la vieille grand'mère, qui parlait à son mari dans la maison. La cheminée, dont
l'ouverture perçait la terrasse, apportait la voix et

quelques paroles jusqu'à nous. La pauvre femme se
lamentait sur la perte des jarres, de l'ancre, des cordages presque neufs, et surtout des deux belles voiles
filées par elle, tissues de son propre chanvre, et que
nous avions eu la barbarie de jeter à la mer pour sau- 5
ver nos vies.

« Qu'avais-tu à faire, disait-elle au vieillard atterré
et muet, de prendre ces deux étrangers, ces deux Français avec toi ? Ne savais-tu pas que ce sont des païens
(*pagani*), et qu'ils portent le malheur et l'impiété avec 10
eux ? Les saints t'ont puni. Ils nous ont ravi notre richesse ; remercie-les encore de ce qu'ils ne nous ont
pas ravi notre âme.»

Le pauvre homme ne savait que répondre. Mais
Graziella, avec l'autorité et l'impatience d'une enfant 15
à qui sa grand'mère permettait tout, se révolta contre
l'injustice de ces reproches, et prenant le parti du vieillard :

« Qu'est-ce qui vous dit que ces étrangers sont des
païens ? répondit-elle à sa grand'mère. Est-ce que les 20
païens ont un air si compatissant pour les pauvres gens ?
Est-ce que les païens font le signe de la croix comme
nous devant l'image des saints ? Eh bien, je vous dis
qu'hier, quand vous êtes tombée à genoux pour remercier Dieu, et quand j'ai attaché le bouquet à l'image 25
de la Madone, je les ai vus baisser la tête comme s'ils
priaient, faire le signe de la croix sur leur poitrine, et
que même j'ai vu une larme briller dans les yeux du
plus jeune et tomber sur sa main.

— C'était une goutte de l'eau de mer qui tombait de 30
ses cheveux, reprit aigrement la vieille femme.

— Et moi je vous dis que c'était une larme, répliqua

avec colère Graziella. Le vent qui soufflait avait bien
eu le temps de sécher leurs cheveux depuis le rivage
jusqu'au sommet de la côte. Mais le vent ne sèche
pas le cœur. Eh bien, je vous le répète, ils avaient de
5 l'eau dans les yeux.»

Nous comprîmes que nous avions une protectrice
toute-puissante dans la maison, car la grand'mère ne
répondit pas et ne murmura plus.

XV

Nous nous hâtâmes de descendre pour remercier la
10 pauvre famille de l'hospitalité que nous avions reçue.
Nous trouvâmes le pêcheur, la vieille mère, Beppo,
Graziella et jusqu'aux petits enfants, qui se disposaient
à descendre vers la côte pour visiter la barque abandonnée la veille, et voir si elle était suffisamment amar-
15 rée contre le gros temps, car la tempête continuait encore. Nous descendîmes avec eux, le front baissé, ti-
mides comme des hôtes qui ont été l'occasion d'un
malheur dans une famille, et qui ne sont pas sûrs des
sentiments qu'on y a pour eux.
20 Le pêcheur et sa femme nous précédaient de quelques marches; Graziella, tenant un de ses petits frères
par la main et portant l'autre sur le bras, venait après.
Nous suivions derrière, en silence. Au dernier détour
d'une des rampes, d'où l'on voit les écueils que l'arête
25 d'un rocher nous empêchait d'apercevoir encore, nous
entendîmes un cri de douleur s'échapper à la fois de la
bouche du pêcheur et de celle de sa femme. Nous les
vîmes élever leurs bras nus au ciel, se tordre les mains

comme dans les convulsions du désespoir, se frapper
du poing le front et les yeux et s'arracher des touffes
de cheveux blancs, que le vent emportait en tournoyant
contre les rochers.

Graziella et les petits enfants mêlèrent bientôt leurs
voix à ces cris. Tous se précipitèrent comme des in-
sensés, en franchissant les derniers degrés de la rampe,
vers les écueils, s'avancèrent jusque dans les franges
d'écume que les vagues immenses chassaient à terre, et
tombèrent sur la plage, les uns à genoux, les autres à
la renverse, la vieille femme le visage dans ses mains
et la tête dans le sable humide.

Nous contemplions cette scène de désespoir du haut
du dernier petit promontoire, sans avoir la force d'a-
vancer ni de reculer. La barque, amarrée au rocher,
mais qui n'avait point d'ancre à la poupe pour la contenir, avait été soulevée pendant la nuit par les lames
et mises en pièces contre les pointes des écueils qui devaient la protéger. La moitié du pauvre esquif tenait
encore par la corde au roc où nous l'avions fixé la
veille. Il se débattait avec un bruit sinistre comme
des voix d'hommes en perdition qui s'éteignent dans un
gémissement rauque et désespéré.

Les autres parties de la coque, la poupe, le mât, les
membrures, les planches peintes, étaient semées çà et
là sur la grève, semblables aux membres des cadavres
déchirés par les loups après un combat. Quand nous
arrivâmes sur la plage, le vieux pêcheur était occupé
à courir d'un de ces débris à l'autre. Il les relevait, il
les regardait d'un œil sec, puis il les laissait retomber
à ses pieds pour aller plus loin. Graziella pleurait, assise à terre, la tête dans son tablier. Les enfants, les

jambes nues dans la mer, couraient en criant après les
débris de planches, qu'ils s'efforçaient de diriger vers
le rivage.

Quant à la vieille femme, elle ne cessait de gémir
5 et de parler en gémissant. Nous ne saisissions que des
accents confus et des lambeaux de plaintes qui déchi-
raient l'air et qui fendaient le cœur : " O mer féroce !
mer sourde ! mer pire que les démons de l'enfer ! mer
sans cœur et sans honneur ! criait-elle avec des vocabu-
10 laires d'injures, en montrant le poing fermé aux flots,
pourquoi ne nous as-tu pas pris nous-mêmes ? nous
tous ? puisque tu nous as pris notre gagne-pain ?
Tiens ! tiens ! tiens ! prends-moi du moins en morceaux,
puisque tu ne m'as pas prise tout entière. »

15 Et en disant ces mots, elle se levait sur son séant,
elle jetait, avec des lambeaux de sa robe, des touffes
de ses cheveux dans la mer. Elle frappait la vague du
geste, elle piétinait dans l'écume ; puis, passant alterna-
tivement de la colère à la plainte et des convulsions à
20 l'attendrissement, elle se rasseyait dans le sable, ap-
puyait son front dans ses mains, et regardait en pleurant les planches disjointes battre l'écueil. « Pauvre
barque ! criait-elle, comme si ces débris eussent été les
membres d'un être chéri à peine privé de sentiment,
25 est-ce là le sort que nous te devions ? Ne devions-nous
pas périr avec toi ? périr ensemble, comme nous avions
vécu ? Là, en morceaux, en débris, en poussière ;
criant, morte encore, sur l'écueil où tu nous as appelés
toute la nuit, et où nous devions te secourir ! Qu'est-
30 ce que tu penses de nous ? Tu nous avais si bien servis,
et nous t'avons trahie, abandonnée, perdue ! Perdue,
là, si près de la maison, à portée de la voix de ton

maître! jetée à la côte comme le cadavre d'un chien
fidèle que la vague rejette au pied du maître qui l'a
noyé!»

Puis ses larmes étouffaient sa voix; puis elle repre-
nait une à une toute l'énumération des qualités de sa 5
barque, et tout l'argent qu'elle leur avait coûté, et tous
les souvenirs qui se rattachaient pour elle à ce pauvre
débris flottant. «Était-ce pour cela, disait-elle, que
nous l'avions fait si bien radouber et si bien peindre
après la dernière pêche du thon? Était-ce pour cela 10
que mon pauvre fils, avant de mourir et de laisser ses
trois enfants sans père ni mère, l'avait bâtie, avec tant
de soins et d'amour, presque tout entière de ses propres
mains? Quand je venais prendre les paniers dans la
cale, je reconnaissais les coups de sa hache dans le 15
bois, et je les baisais en mémoire de lui! Ce sont les re-
quins et les crabes de la mer qui les baiseront maintenant! Pendant les soirs d'hiver, il avait sculpté lui-
même avec son couteau l'image de saint François sur
une planche, et il l'avait fixée à la proue pour la pro- 20
téger contre le mauvais temps. O saint impitoyable!
comment s'est-il montré reconnaissant? Qu'a-t-il fait
de mon fils, de sa femme et de la barque qu'il nous
avait laissée après lui pour gagner la vie de ses pauvres enfants? Comment s'est-il protégé lui-même, et 25
où est-elle, son image, jouet des flots?

— Mère, mère! s'écria un des enfants, en ramassant
sur la grève, entre deux rochers, un éclat du bateau
laissé à sec par une lame, voilà le saint!»

La pauvre femme oublia toute sa colère et tous ses 30
blasphèmes, s'élança, les pieds dans l'eau, vers l'enfant,
prit le morceau de planche sculpté par son fils, et le

colla sur ses lèvres en le couvrant de larmes. Puis
elle alla se rasseoir et ne dit plus rien.

XVI

Nous aidâmes Beppo et le vieillard à recueillir un
à un tous les morceaux de la barque. Nous tirâmes
5 la quille mutilée plus avant sur la plage. Nous fîmes
un monceau de ces débris, dont quelques planches et
les ferrures pouvaient servir encore à ces pauvres
gens ; nous roulâmes par-dessus de grosses pierres,
afin que les vagues, si elles montaient, ne dispersassent
10 pas ces chers restes de l'esquif, et nous remontâmes,
tristes et bien loin derrière nos hôtes, à la maison.
L'absence de bateau et l'état de la mer ne nous permettaient pas de partir.

Après avoir pris, les yeux baissés et sans dire mot,
15 un morceau de pain et du lait de chèvre que Graziella
nous apporta près de la fontaine, sous le figuier, nous
laissâmes la maison à son deuil, et nous allâmes nous
promener dans la haute treille de vignes et sous les
oliviers du plateau élevé de l'île.

XVII

20 Nous nous parlions à peine, mon ami et moi, mais
nous avions la même pensée, et nous prenions par instinct tous les sentiers qui tendaient à la pointe orien-
tale de l'île et qui devaient nous mener à la ville pro-
chaine de Procida. Quelques chevriers et quelques

jeunes filles au costume grec, que nous rencontrâmes
portant des cruches d'huile sur leurs têtes, nous re-
mirent plusieurs fois dans le vrai chemin. Nous arrivâmes enfin à la ville après une heure de marche.

« Voilà une triste aventure, me dit mon ami.   5

— Il faut la changer en joie pour ces bonnes gens,
lui répondis-je.

— J'y pensais, reprit-il en faisant sonner dans sa
ceinture de cuir bon nombre de sequins[1] d'or.

— Et moi aussi ; mais je n'ai que cinq ou six sequins 10
dans ma bourse. Cependant j'ai été de moitié dans le
malheur, il faut que je sois de moitié aussi dans la ré-
paration.

— Je suis le plus riche des deux, dit mon ami ; j'ai
un crédit chez un banquier de Naples. J'avancerai   15
tout. Nous réglerons nos comptes en France.»

XVIII

En parlant ainsi, nous descendions légèrement les
rues en pente de Procida. Nous arrivâmes bientôt
sur la *marine* (c'est ainsi qu'on appelle la plage voisine de la rade ou du port, dans l'Archipel[2] et sur les 20
côtes d'Italie). La plage était couverte de barques
d'Ischia, de Procida et de Naples, que la tempête de
la veille avait forcées de chercher un abri dans ses
eaux. Les marins et les pêcheurs dormaient au soleil,
au bruit décroissant des vagues, ou causaient par   25
groupes assis sur le môle. A notre costume et au bonnet de laine rouge qui recouvrait nos cheveux, ils nous
prirent pour de jeunes matelots de Toscane ou de

Gênes[1] qu'un des bricks qui portent l'huile ou le vin d'Ischia avait débarqués à Procida.

Nous parcourûmes la *marine* en cherchant de l'œil une barque solide et bien gréée, qui pût être facile-
5 ment manœuvrée par deux hommes, et dont la propor-
tion et les formes se rapprochassent le plus possible de celle que nous avions perdue. Nous n'eûmes pas de peine à la trouver. Elle appartenait à un riche pêcheur de l'île qui en possédait plusieurs autres.
10 Celle-là n'avait encore que quelques mois de service.
Nous allâmes chez le propriétaire, dont les enfants du port nous indiquèrent la maison.

Cet homme était gai, sensible et bon. Il fut touché du récit que nous lui fîmes du désastre de la nuit et
15 de la désolation de son pauvre compatriote de Procida.
Il n'en perdit pas une piastre[2] sur le prix de son embar-
cation, mais il n'en exagéra pas la valeur, et le marché fut conclu pour trente-deux sequins d'or, que mon ami lui paya comptant. Moyennant cette somme, le ba-
20 teau et un gréement tout neuf, voiles, jarres, cordages, ancres de fer, tout fut à nous.

Nous complétâmes même l'équipement en achetant dans une boutique du port deux capotes de laine rousse, une pour le vieillard, l'autre pour l'enfant;
25 nous y joignîmes des filets de diverses espèces, des paniers à poisson et quelques ustensiles grossiers de ménage à l'usage des femmes. Nous convînmes avec le marchand de barques que nous lui payerions le lendemain trois sequins de plus, si l'embarcation était
30 conduite le jour même au point de la côte que nous lui désignâmes. Comme la bourrasque baissait et que la terre élevée de l'île abritait un peu la mer du vent

de ce côté, il s'y engagea, et nous repartîmes par terre
pour la maison d'Andréa.

XIX

Nous fîmes la route lentement, nous asseyant sous
tous les arbres, à l'ombre de toutes les treilles, causant,
rêvant, marchandant à toutes les jeunes Procitanes[1] 5
les paniers de figues, de nèfles, de raisins qu'elles portaient, et donnant aux heures le temps de couler.
Quand, du haut d'un promontoire, nous aperçûmes
notre embarcation qui se glissait furtivement sous
l'ombre de la côte, nous pressâmes le pas pour arriver 10
en même temps que les rameurs.

On n'entendait ni pas ni voix dans la petite maison
et dans la vigne qui l'entourait. Deux beaux pigeons
aux larges pattes emplumées et aux ailes blanches
tigrées de noir, becquetant des grains de maïs sur le 15
mur en parapet de la terrasse, étaient le seul signe de
vie qui animât la maison. Nous montâmes sans bruit
sur le toit ; nous y trouvâmes la famille profondément
endormie. Tous, excepté les enfants, dont les jolies
têtes reposaient à côté l'une de l'autre sur le bras de 20
Graziella, sommeillaient dans l'attitude de l'affaisse-
ment produit par la douleur.

La vieille mère avait la tête sur ses genoux, et son
haleine assoupie semblait sangloter encore. Le père
était étendu sur le dos, les bras en croix, en plein so- 25
leil. Les hirondelles rasaient ses cheveux gris dans
leur vol. Les mouches couvraient son front en sueur.
Deux sillons creux et serpentant jusqu'à sa bouche

attestaient que la force de l'homme s'était brisée en lui et qu'il s'était assoupi dans les larmes.

Ce spectacle nous fendit le cœur. La pensée du bonheur que nous allions rendre à ces pauvres gens
5 nous consola. Nous les éveillâmes. Nous jetâmes aux pieds de Graziella et de ses petits frères, sur le plancher du toit, le pain frais, le fromage, les salaisons, les raisins, les oranges, les figues, dont nous nous étions chargés en route. La jeune fille et les
10 enfants n'osaient se lever au milieu de cette pluie d'abondance qui tombait comme du ciel autour d'eux. Le père nous remerciait pour sa famille. La grand'mère regardait tout cela d'un œil terne. L'expression de sa physionomie se rapprochait plus de la colère que
15 de l'indifférence.

« Allons, Andréa, dit mon ami au vieillard, l'homme ne doit pas pleurer deux fois ce qu'il peut racheter avec du travail et du courage. Il y a des planches dans les forêts et des voiles dans le chanvre qui pousse.
20 Il n'y a que la vie de l'homme que le chagrin use qui ne repousse pas. Un jour de larmes consume plus de force qu'un an de travail. Descendez avec nous, avec votre femme et vos enfants. Nous sommes vos matelots, nous vous aiderons à remonter ce soir dans la
25 cour les débris de votre naufrage. Vous en ferez des clôtures, des lits, des tables, des meubles pour la famille. Cela vous fera plaisir, un jour, de dormir tranquille, dans votre vieillesse, au milieu de ces planches qui vous ont si longtemps bercé sur les flots.
30 — Qu'elles puissent seulement nous faire des cercueils !» murmura sourdement la grand'mère.

XX

Cependant ils se levèrent et nous suivirent tous en descendant lentement les degrés de la côte; mais on voyait que l'aspect de la mer et le son des lames leur faisaient mal. Je n'essayerai pas de décrire la surprise et la joie de ces pauvres gens quand, du haut du der- 5 nier palier de la rampe, ils aperçurent la belle embarca- tion neuve, brillante au soleil et tirée à sec sur le sable à côté des débris de l'ancienne, et que mon ami leur dit: « Elle est à vous! » Ils tombèrent tous comme foudroyés de la même joie, à genoux, chacun sur le 10 degré où il se trouvait, pour remercier Dieu, avant de trouver des paroles pour nous remercier nous-mêmes. Mais leur bonheur nous remerciait assez.

Ils se relevèrent à la voix de mon ami qui les appe- lait. Ils coururent sur ses pas vers la barque. Ils en 15 firent d'abord à distance et respectueusement le tour, comme s'ils eussent craint qu'elle n'eût quelque chose de fantastique et qu'elle ne s'évanouît comme un pro- dige. Puis ils s'en approchèrent de plus près, puis ils la touchèrent, en portant ensuite à leur front et à leurs 20 lèvres la main qui l'avait touchée. Enfin ils pous- sèrent des exclamations d'admiration et de joie, et, se prenant les mains en chaîne,[1] depuis la vieille femme jusqu'aux petits enfants, ils dansèrent autour de la coque. 25

XXI

Beppo fut le premier qui y monta. Debout sur le petit faux-pont[1] de la proue, il tirait un à un de la cale tous les objets de gréement dont nous l'avions remplie : l'ancre, les cordages, les jarres à quatre anses, les 5 belles voiles neuves, les paniers, les capotes aux larges manches ; il faisait sonner l'ancre, il élevait les rames au-dessus de sa tête, il dépliait la toile, il froissait entre ses doigts le rude duvet des manteaux, il montrait toutes ces richesses à son grand-père, à sa grand'- 10 mère, à sa sœur, avec des cris et des trépignements de bonheur. Le père, la mère, Graziella, pleuraient en regardant tour à tour la barque et nous.

Les marins qui avaient amené l'embarcation, cachés derrière les rochers, pleuraient aussi. Tout le monde 15 nous bénissait. Graziella, le front baissé et plus sérieuse dans sa reconnaissance, s'approcha de sa grand'- mère, et je l'entendis murmurer en nous montrant du doigt : « Vous disiez que c'étaient des païens ! et quand je vous disais, moi, que ce pouvaient bien être plutôt 20 des anges ! Qui est-ce qui avait raison ? »

La vieille femme se jeta à nos pieds et nous demanda pardon de ses soupçons. Depuis cette heure, elle nous aima presque autant qu'elle aimait sa petite-fille ou Beppo.

XXII

Nous congédiâmes les marins de Procida, après leur
avoir payé les trois sequins convenus. Nous nous
chargeâmes chacun d'un des objets de gréement qui
encombraient la cale. Nous rapportâmes à la maison,
au lieu des débris de sa fortune, toutes ces richesses 5
de l'heureuse famille. Le soir, après souper, à la
clarté de la lampe, Beppo détacha du chevet du lit de
sa grand'mère le morceau de planche brisée où la
figure de saint François avait été sculptée par son
père ; il l'équarrit avec une scie ; il la nettoya avec son 10
couteau ; il la polit et la peignit à neuf. Il se propo-
sait de l'incruster le lendemain sur l'extrémité ex-
térieure de la proue, afin qu'il y eût dans la nouvelle
barque quelque chose de l'ancienne. C'est ainsi que
les peuples de l'antiquité, quand ils élevaient un temple, 15
sur l'emplacement d'un autre temple, avaient soin
d'introduire au nouvel édifice les matériaux ou une
colonne au moins de l'ancien, afin qu'il y eût quelque
chose de vieux et de sacré dans le moderne et que le
souvenir lui-même, fruste[1] et grossier, eût son culte 20
et son prestige pour le cœur parmi les chefs-d'œuvre
du sanctuaire nouveau. L'homme est partout l'homme.
Sa nature sensible a toujours les mêmes instincts, qu'il
s'agisse du Parthénon,[2] de Saint-Pierre de Rome, ou
d'une pauvre barque de pêcheur sur un écueil de Pro- 25
cida.

XXIII

Cette nuit fut peut-être la plus heureuse de toutes les nuits que la Providence eût destinées à cette maison depuis qu'elle est sortie du rocher et jusqu'à ce qu'elle retombe en poussière. Nous dormîmes aux coups de
5 vent dans les oliviers, au bruit des lames sur la côte et aux lueurs rasantes de la lune sur notre terrasse. À notre réveil, le ciel était balayé comme un cristal poli, la mer foncée et tigrée d'écume, comme si l'eau eût sué de vitesse et de lassitude; mais le vent, plus fu-
10 rieux, mugissait toujours. La poussière blanche que les vagues accumulaient sur la pointe du cap Misène s'élevait plus haut que la veille. Elle noyait toute la côte de Cumes dans un flux et reflux de brume lumi-neuse qui ne cessait de monter et de retomber. On
15 n'apercevait aucune voile sur le golfe de Gaëte ni sur celui de Baïa. Les hirondelles de mer fouettaient l'écume de leurs ailes blanches, seul oiseau qui ait son élément dans la tempête et qui crie de joie pendant les naufrages, comme ces habitants maudits de la baie
20 des Trépassés,[1] qui attendent leur proie des navires en perdition.

Nous éprouvions, sans nous le dire, une joie secrète d'être ainsi emprisonnés par le gros temps dans la maison et dans la vigne du batelier. Cela nous don-
25 nait le temps de savourer notre situation et de jouir du bonheur de cette pauvre famille, à laquelle nous nous attachions comme des enfants.

Le vent et la grosse mer nous y retinrent neuf jours

entiers. Nous aurions désiré, moi surtout, que la tempête ne finît jamais, et qu'une nécessité involontaire
et fatale nous fît passer des années où nous nous trouvions si captifs et si heureux. Nos journées s'écou-
laient pourtant bien insensibles et bien uniformes. 5
Rien ne prouve mieux combien peu de chose suffit au
bonheur quand le cœur est jeune et jouit de tout. C'est
ainsi que les aliments les plus simples soutiennent et
renouvellent la vie du corps, quand l'appétit les assai-
sonne et que les organes sont neufs et sains.... 10

XXIV

Nous éveiller au cri des hirondelles qui effleuraient
notre toit de feuilles sur la terrasse où nous avions
dormi; écouter la voix enfantine de Graziella qui
chantait à demi-voix dans la vigne, de peur de troubler
le sommeil des étrangers; descendre rapidement à la 15
plage pour nous plonger dans la mer et nager quelques
minutes dans une petite calanque[1] dont le sable fin
brillait à travers la transparence d'une eau profonde,
et où le mouvement et l'écume de la haute mer ne péné-
traient pas, remonter lentement à la maison en séchant 20
et en réchauffant au soleil nos cheveux et nos épaules
trempés dans le bain; déjeuner dans la vigne d'un morceau de pain et de fromage de buffle que la jeune fille
nous apportait et rompait avec nous; boire l'eau claire
et rafraîchie de la source puisée par elle dans une pe- 25
tite jarre de terre oblongue qu'elle penchait en rougissant sur son bras, pendant que nos lèvres se collaient à
l'orifice; aider ensuite la famille dans les mille petits

travaux rustiques de la maison et du jardin ; relever
les pans de murs de clôture qui entouraient la vigne et
qui supportaient les terrasses ; déraciner de grosses
pierres qui avaient roulé, l'hiver, du haut de ces murs
5 sur les jeunes plants de vigne, et qui empiétaient sur
le peu de culture qu'on pouvait pratiquer entre les
ceps ; apporter dans le cellier les grosses courges jaunes
dont une seule était la charge d'un homme ; couper ensuite leurs filaments qui couvraient la terre de leurs
10 larges feuilles et qui embarrassaient les pas dans leurs
réseaux ; tracer entre chaque rangée de ceps, sous les
treilles hautes, une petite rigole dans la terre sèche,
pour que l'eau de la pluie s'y rassemblât d'elle-même
et les abreuvât plus longtemps ; creuser, pour le même
15 usage, des espèces de puits en entonnoir au pied des
figuiers et des citronniers : telles étaient nos occupations matinales, jusqu'à l'heure où le soleil dardait
d'aplomb sur le toit, sur le jardin, sur la cour, et nous
forçait à chercher l'abri des treilles. La transparence
20 et le reflet des feuilles de vignes y teignaient les ombres
flottantes d'une couleur chaude et un peu dorée.

LIVRE DEUXIÈME

I

GRAZIELLA alors rentrait à la maison pour filer auprès de sa grand'mère ou pour préparer le repas du milieu du jour. Quant au vieux pêcheur et à Beppo, ils passaient des journées entières au bord de la mer à arrimer la barque neuve, à y faire les perfectionne- 5
ments que leur passion pour leur nouvelle propriété leur inspirait, et à essayer les filets à l'abri des écueils. Ils nous rapportaient toujours, pour le repas du midi, quelques crabes ou quelques anguilles de mer, aux écailles plus luisantes que le plomb fraîchement fondu. 10
La mère les faisait frire dans l'huile des oliviers. La famille conservait cette huile, suivant l'usage du pays, au fond d'un petit puits creusé dans le rocher tout près de la maison, et fermé d'une grosse pierre où l'on avait scellé un anneau de fer. Quelques concombres frits 15
de même et découpés en lanières dans la poêle, quelques coquillages frais, semblables à des moules, et qu'on appelle *frutti di mare*, fruits de mer, composaient pour nous ce frugal dîner, le principal et le plus succulent repas de la journée. Des raisins mus- 20
cats aux longues grappes jaunes, cueillis le matin par Graziella, conservés sur leur tige et sous leurs feuilles,

et servis sur des corbeilles plates d'osier tressé, formaient le dessert. Une tige ou deux de fenouil vert
et cru trempé dans le poivre, et dont l'odeur d'anis
parfume les lèvres et relève le cœur, nous tenaient lieu
5 de liqueurs et de café, selon l'usage des marins et des
paysans de Naples. Après le dîner, nous allions chercher, mon ami et moi, quelque abri ombragé et frais au
sommet de la falaise, en vue de la mer et de la côte de
Baïa, et nous y passions à regarder, à rêver et à lire,
10 les heures brûlantes du jour jusque vers quatre ou cinq
heures après-midi.

II

Nous n'avions sauvé des flots que trois volumes dé-
pareillés, parce que ceux-là ne se trouvaient pas dans
notre valise de marin, quand nous la jetâmes à la mer :
15 c'était un petit volume italien d'Ugo Foscolo,[1] intitulé
Lettres de Jacopo Ortis, espèce de Werther moitié politique, moitié romanesque, où la passion de la liberté
de son pays se mêle dans le cœur d'un jeune Italien à
sa passion pour une belle Vénitienne. Le double en-
20 thousiasme, nourri par ce double feu de l'amant et du
citoyen, allume dans l'âme d'Ortis une fièvre dont l'accès, trop fort pour un homme sensible et maladif, produit enfin le suicide. Ce livre, copie litérale, mais
coloriée et lumineuse du *Werther* de Gœthe, était alors
25 entre les mains de tous les jeunes hommes qui nourris-
saient comme nous dans leur âme ce double rêve de
ceux qui sont dignes de rêver quelque chose de grand :
l'amour et la liberté.

III

La police de Bonaparte et de Murat proscrivait en
vain l'auteur et le livre. L'auteur avait pour asile le
cœur de tous les patriotes italiens et de tous les libéraux de l'Europe. Le livre avait pour sanctuaire la
poitrine des jeunes gens comme nous ; nous l'y ca- 5
chions pour en aspirer les maximes. Des deux autres
volumes que nous avions sauvés, l'un était *Paul et
Virginie,* de Bernardin de Saint-Pierre,[1] ce manuel de
l'amour naïf, livre qui semble une page de l'enfance du
monde arrachée à l'histoire du cœur humain et conser- 10
vée toute pure et toute trempée de larmes contagieuses
pour les yeux de seize ans.

L'autre était un volume de Tacite,[2] pages tachées de
débauche, de honte et de sang, mais où la vertu stoïque
prend le burin et l'apparente impassibilité de l'histoire 15
pour inspirer à ceux qui la comprennent la haine de la
tyrannie, la puissance des grands dévouements et la
soif des généreuses morts.

Ces trois livres se trouvaient par hasard corres-
pondre aux trois sentiments qui faisaient dès lors, 20
comme par pressentiment, vibrer nos jeunes âmes :
l'amour, l'enthousiasme pour l'affranchissement de
l'Italie et de la France, et enfin la passion pour l'action
politique et pour le mouvement des grandes choses
dont Tacite nous présentait l'image, et pour lesquelles 25
il trempait nos âmes de bonne heure dans le sang de
son pinceau et dans le feu de la vertu antique. Nous
lisions haut et tour à tour, tantôt admirant, tantôt pleurant, tantôt rêvant. Nous entrecoupions ces lectures

de longs silences et de quelques exclamations échan-
gées, qui étaient pour nous le commentaire irréfléchi
de nos impressions, et que le vent emportait avec nos
rêves.

IV

5 Nous nous placions nous-mêmes par la pensée dans
quelques-unes de ces situations fictives ou réelles que
le poète ou l'historien venait de raconter pour nous.
Nous nous faisions un idéal d'amant ou de citoyen, de
vie cachée ou de vie publique, de félicité ou de vertu.
10 Nous nous plaisions à combiner ces grandes circonstances, ces merveilleux hasards des temps de révolution, où les hommes les plus obscurs sont révélés à
la foule par le génie et appelés, comme par leurs
noms, à combattre la tyrannie et à sauver les nations;
15 puis, victimes de l'instabilité et de l'ingratitude des
peuples, condamnés à mourir sur l'échafaud, en face
du temps qui les méconnaît et de la postérité qui les
venge.

Il n'y avait pas de rôle, quelque héroïque qu'il fût,
20 qui n'eût trouvé nos âmes au niveau des situations.
Nous nous préparions à tout, et si la fortune, un jour,
ne réalisait pas ces grandes épreuves où nous nous
précipitions en idée, nous nous vengions d'avance en
la méprisant. Nous avions en nous-mêmes cette con-
25 solation des âmes fortes, que si notre vie restait inutile, vulgaire et obscure, c'était la fortune qui nous
manquerait, ce n'était pas nous qui aurions manqué à
la fortune!

V

Quand le soleil baissait, nous faisions de longues courses à travers l'île. Nous la traversions dans tous les sens. Nous allions à la ville acheter le pain ou les légumes qui manquaient au jardin d'Andréa. Quelquefois nous rapportions un peu de tabac, cet opium du marin, qui l'anime en mer et qui le console à terre. Nous rentrions à la nuit tombante, les poches et les mains pleines de nos modestes munificences. La famille se rassemblait, le soir, sur le toit qu'on appelle à Naples l'*astrico,*¹ pour attendre les heures du sommeil. Rien de si pittoresque, dans les belles nuits de ce climat, que la scène de l'*astrico* au clair de la lune.

A la campagne, la maison basse et carrée ressemble à un piédestal antique, qui porte des groupes vivants et des statues animées. Tous les habitants de la maison y montent, s'y meuvent ou s'y assoient dans des attitudes diverses ; la clarté de la lune ou les lueurs de la lampe projettent et dessinent ces profils sur le fond bleu du firmament. On y voit la vieille mère filer, le père fumer sa pipe de terre cuite à la tige de roseau, les garçons s'accouder sur le rebord et chanter en longues notes traînantes ces airs marins ou champêtres dont l'accent prolongé ou vibrant a quelque chose de la plainte du bois torturé par les vagues ou de la vibration stridente de la cigale au soleil ; les jeunes filles enfin, avec leurs robes courtes, leurs pieds nus, leurs soubrevestes² vertes et galonnées d'or et de soie, et leurs longs cheveux noirs flottants sur leurs épaules, en-

veloppés d'un mouchoir noué sur le nuque, à gros
nœuds, pour préserver leur chevelure de la poussière.

Elles y dansent souvent seules ou avec leurs sœurs;
l'une tient une guitare, l'autre élève sur sa tête un
5 tambour de basque entouré de sonnettes de cuivre.
Ces deux instruments, l'un plaintif et léger, l'autre
monotone et sourd, s'accordent merveilleusement pour
rendre presque sans art les deux notes alternatives du
cœur de l'homme : la tristesse et la joie.   On les en-
10 tend, pendant les nuits d'été, sur presque tous les toits
des îles ou de la campagne de Naples, même sur les
barques.   Ce concert aérien, qui poursuit l'oreille de
site en site, depuis la mer jusqu'aux montagnes, ressemble aux bourdonnements d'un insecte de plus, que
15 la chaleur fait naître et bourdonner sous ce beau ciel.
Ce pauvre insecte, c'est l'homme, qui chante quelques
jours devant Dieu sa jeunesse et ses amours, et puis
qui se tait pour l'éternité.   Je n'ai jamais pu entendre
ces notes répandues dans l'air, du haut des *astricos,*
20 sans m'arrêter et sans me sentir le cœur serré, prêt à
éclater de joie intérieure ou de mélancolie plus forte
que moi.

VI

TELLES étaient aussi les attitudes, les musiques et les
voix sur la terrasse du toit d'Andréa.   Graziella jouait
25 de la guitare, et Beppino, faisant rebondir ses doigts
d'enfant sur le petit tambour qui avait servi autrefois
à l'endormir dans son berceau, accompagnait sa sœur.
Bien que les instruments fussent gais et que les atti-

tudes fussent celles de la joie, les airs étaient tristes, les
notes lentes et rares allaient profondément pincer les
fibres endormies du cœur. Il en est ainsi de la musique partout où elle n'est pas un vain jeu de l'oreille,
mais un gémissement harmonieux des passions qui sort   5
de l'âme par la voix. Tous ses accents sont des soupirs, toutes ses notes roulent des pleurs avec le son.
On ne peut jamais frapper un peu fort sur le cœur de
l'homme sans qu'il en sorte des larmes, tant la nature
est pleine, au fond, de tristesse! et tout ce qui le remue 10
en fait monter de lie à nos lèvres et de nuages à nos
yeux!...

VII

Même quand la jeune fille, sollicitée par nous, se
levait modestement pour danser la tarantelle au son du
tambourin frappé par son frère, et qu'emportée par le 15
mouvement tourbillonnant de cette danse nationale
elle tournoyait sur elle-même, les bras gracieusement
élevés, imitant avec ses doigts le claquement des castagnettes et précipitant les pas de ses pieds nus, comme
des gouttes de pluie sur la terrasse; oui, même alors, il 20
y avait dans l'air, dans les attitudes, dans la frénésie
même de ce délire en action, quelque chose de sérieux
et de triste, comme si toute joie n'eût été qu'une dé-
mence passagère, et comme si, pour saisir un éclair de
bonheur, la jeunesse et la beauté même avaient besoin 25
de s'étourdir jusqu'au vertige et de s'enivrer de mouvement jusqu'à la folie!

VIII

Plus souvent nous nous entretenions gravement
avec nos hôtes ; nous leurs faisions raconter leur vie,
leurs traditions ou leurs souvenirs de famille.   Chaque
famille est une histoire et même un poème pour qui
5 sait la feuilleter.   Celle-ci avait aussi sa noblesse, sa
richesse, son prestige dans le lointain.

L'aïeul d'Andréa était un négociant grec de l'île
d'Égine.[1] Persécuté pour sa religion par le pacha
d'Athènes, il avait embarqué une nuit sa femme, ses
10 filles, ses fils, sa fortune, dans un des navires qu'il
possédait pour le commerce.   Il s'était réfugié à Procida, où il avait des correspondants et où la population
était grecque comme lui.   Il y avait acheté de grands
biens dont il ne restait plus de vestige que la petite
15 métairie où nous étions, et le nom des ancêtres gravé
sur quelques tombeaux dans le cimetière de la ville.
Les filles étaient mortes religieuses dans le monastère
de l'île.   Les fils avaient perdu toute la fortune dans
les tempêtes qui avaient englouti leurs navires.   La fa-
20 mille était tombée en décadence.   Elle avait échangé
jusqu'à son beau nom grec contre un nom obscur de
pêcheur de Procida.   « Quand une maison s'écroule,
on finit par en balayer jusqu'à la dernière pierre, nous
disait Andréa.   De tout ce que mon aïeul possédait
25 sous le ciel, il ne reste rien que mes deux rames, la
barque que vous m'avez rendue, cette cabane qui
ne peut pas nourrir ses maîtres, et la grâce de
Dieu.»

IX ✳

La mère et la jeune fille nous demandaient de leur
dire à notre tour qui nous étions, où était notre pays,
que faisaient nos parents; si nous avions notre père,
notre mère, des frères, des sœurs, une maison, des figuiers, des vignes; pourquoi nous avions quitté tout 5
cela si jeunes, pour venir ramer, lire, écrire, rêver au
soleil et coucher sur la terre dans le golfe de Naples.
Nous avions beau dire,[1] nous ne pouvions jamais leur
faire comprendre que c'était pour regarder le ciel et
la mer, pour évaporer notre âme au soleil, pour sentir 10
fermenter en nous notre jeunesse et pour recueillir des
impressions, des sentiments, des idées que nous écri-
rions peut-être ensuite en vers, comme ceux qu'ils
voyaient écrits dans nos livres, ou comme ceux que les
improvisateurs[2] de Naples récitaient le dimanche soir 15
aux marins, sur le Môle[3] ou à la Margellina.

« Vous voulez vous moquer de moi, nous disait Graziella en éclatant de rire; vous des poètes! mais vous
n'avez pas les cheveux hérissés et les yeux hagards de
ceux qu'on appelle de ce nom sur les quais de la 20
Marine! Vous des poètes! et vous ne savez même
pas pincer une note sur la guitare. Avec quoi
donc accompagnerez-vous les chansons que vous
ferez? »

Puis elle secouait la tête en faisant la moue avec ses 25
lèvres et en s'impatientant de ce que nous ne voulions
pas dire la vérité.

X

Quelquefois un vilain soupçon traversait son âme
et jetait du doute et une ombre de crainte dans son
regard. Mais cela ne durait pas. Nous l'entendions
dire tout bas à sa grand'mère : « Non, cela n'est pas
possible ; ce ne sont pas des réfugiés chassés de leur
pays pour une mauvaise action. Ils sont trop jeunes
et trop bons pour connaître le mal.» Nous nous amu-
sions alors à lui faire le récit de quelques forfaits bien
sinistres, dont nous nous déclarions les auteurs. Le
contraste de nos fronts calmes et limpides, de nos yeux
sereins, de nos lèvres souriants et de nos cœurs
ouverts, avec les crimes fantastiques que nous sup-
posions avoir commis, la faisait rire aux éclats ainsi
que son frère, et dissipait vite toute possibilité de défiance.

XI

Graziella nous demandait souvent qu'est-ce que
nous lisions donc tout le jour dans nos livres. Elle
croyait que c'étaient des prières, car elle n'avait jamais
vu de livres qu'à l'église dans la main des fidèles qui
savaient lire et qui suivaient les paroles saintes du
prêtre. Elle nous croyait très pieux, puisque nous
passions des journées entières à balbutier des paroles
mystérieuses. Seulement elle s'étonnait que nous ne
nous fissions pas prêtres ou ermites dans un séminaire

de Naples ou dans quelque monastère des îles. Pour
la détromper, nous essayâmes de lire deux or trois fois,
en les traduisant en langue vulgaire du pays, des pas-
sages de Foscolo et quelques beaux fragments de notre
Tacite. 5

Nous pensions que ces soupirs patriotiques de l'exilé
italien et ces grandes tragédies de la Rome impériale
feraient une forte impression sur notre naïf auditoire;
car le peuple a de la patrie dans les instincts, de l'hé-
roïsme dans le sentiment et du drame dans le coup 10
d'œil. Ce qu'il retient, ce sont surtout les grandes
chutes et les belles morts. Mais nous nous aperçûmes
vite que ces déclamations et ces scènes si puissantes
sur nous n'avaient point d'effet sur ces âmes simples.
Le sentiment de la liberté politique, cette aspiration des 15
hommes de loisir, ne descend pas si bas dans le peuple.

Ces pauvres pêcheurs ne comprenaient pas pourquoi
Ortis se désespérait et se tuait, puisqu'il pouvait jouir
de toutes les vraies voluptés de la vie; se promener
sans rien faire, voir le soleil, aimer sa maîtresse et prier 20
Dieu sur les rives vertes et grasses de la Brenta.[1]
« Pourquoi se tourmenter ainsi, disaient-ils, pour des
idées qui ne pénètrent point jusqu'au cœur? Que lui
importe que ce soient les Autrichiens ou les Français
qui règnent à Milan? C'est un fou de se faire tant de 25
chagrin pour de telles choses.» Et ils n'écoutaient
plus.

XII

Quant à Tacite, ils l'entendaient moins encore. L'empire ou la république, ces hommes qui s'entretuaient, les uns pour régner, les autres pour ne pas survivre à la servitude, ces crimes pour le trône, ces 5 vertus pour la gloire, ces morts pour la postérité, les laissaient froids. Ces orages de l'histoire éclataient trop au-dessus de leurs têtes pour qu'ils en fussent affectés. C'étaient pour eux comme des tonnerres hors de portée sur la montagne, qu'on laisse rouler sans s'en 10 inquiéter, parce qu'ils ne tombent que sur les cimes, et qu'ils n'ébranlent pas la voile du pêcheur ni la maison du métayer.

Tacite n'est populaire que pour les politiques ou pour les philosophes ; c'est le Platon[1] de l'histoire. Sa 15 sensibilité est trop raffinée pour le vulgaire. Pour le comprendre, il faut avoir vécu dans les tumultes de la place publique ou dans les mystérieuses intrigues des palais. Otez la liberté, l'ambition et la gloire à ces scènes, qu'y reste-t-il ? Ce sont les trois grands 20 acteurs de ces drames. Or, ces trois passions sont inconnues au peuple, parce que ce sont des passions de l'esprit et qu'il n'a que les passions du cœur. Nous nous en aperçûmes à la froideur et à l'étonnement que ces fragments répandaient autour de nous.

25 Nous essayâmes alors, un soir, de leur lire *Paul et Virginie.* Ce fut moi qui le traduisais en lisant, parce que j'avais tant l'habitude de le lire, que je le savais

pour ainsi dire par cœur. Familarisé par un plus long
séjour en Italie avec la langue, les expressions ne me
coûtaient rien à trouver et coulaient de mes lèvres
comme une langue maternelle. A peine cette lecture
eut-elle commencé, que les physionomies de notre petit 5
auditoire changèrent et prirent une expression d'attention et de recueillement, indice certain de l'émotion du
cœur. Nous avions rencontré la note qui vibre à
l'unisson dans l'âme de tous les hommes, de tous les
âges et de toutes les conditions, la note sensible, la note 10
universelle, celle qui renferme dans un seul son l'éternelle vérité de l'art : la nature, l'amour de Dieu.

XIII

Je n'avais encore lu que quelques pages, et déjà
vieillards, jeune fille, enfant, tout avait changé d'attitude. Le pêcheur, le coude sur son genou et l'oreille 15
penchée de mon côté, oubliait d'aspirer la fumée de sa
pipe. La vieille grand'mère, assise en face de moi,
tenait ses deux mains jointes sous son menton, avec le
geste des pauvres femmes qui écoutent la parole de
Dieu, accroupies sur le pavé des temples. Beppo était 20
descendu du mur de la terrasse, où il était assis tout à
l'heure. Il avait placé, sans bruit, sa guitare sur le
plancher. Il posait sa main à plat sur le manche, de
peur que le vent ne fit résonner les cordes. Graziella,
qui se tenait ordinairement un peu loin, se rapprochait 25
insensiblement de moi, comme si elle eût été fascinée
par une puissance d'attraction cachée dans le livre.
Adossée au mur de la terrasse, au pied duquel j'étais

étendu moi-même, elle se rapprochait de plus en plus
de mon côté, appuyée sur sa main gauche, qui portait
à terre,[1] dans l'attitude du gladiateur blessé.[2] Elle
regardait avec de grands yeux bien ouverts tantôt le
5 livre, tantôt mes lèvres d'où coulait le récit ; tantôt le
vide entre mes lèvres et le livre, comme si elle eût cherché du regard l'invisible esprit qui me l'interprétait.
J'entendais son souffle inégal s'interrompre ou se pré-
cipiter, suivant les palpitations du drame, comme
10 l'haleine essoufflée de quelqu'un qui gravit une montagne et qui se repose pour respirer de temps en temps.
Avant que je fusse arrivé au milieu de l'histoire, la
pauvre enfant avait oublié sa réserve un peu sauvage
avec moi. Je sentais la chaleur de sa respiration sur
15 mes mains. Ses cheveux frissonnaient sur mon front.
Deux ou trois larmes brûlantes, tombées de ses joues,
tachaient les pages tout près de mes doigts.

XIV

Excepté ma voix lente et monotone, qui traduisait
littéralement à cette famille de pêcheurs ce poème du
20 cœur, on n'entendait aucun bruit que les coups sourds
et éloignés de la mer, qui battait la côte là-bas sous nos
pieds. Ce bruit même était en harmonie avec la
lecture. C'était comme le dénoûment pressenti de
l'histoire, qui grondait d'avance dans l'air au commen-
25 cement et pendant le cours du récit. Plus ce récit se
déroulait, plus il semblait attacher nos simples audi-
teurs. Quand j'hésitais, par hasard, à trouver l'expression juste pour rendre le mot français, Graziella,

qui depuis quelque temps tenait la lampe abritée contre
le vent par son tablier, l'approchait tout près des pages
et brûlait presque le livre dans son impatience, comme
si elle eût pensé que la lumière du feu allait faire
jaillir le sens intellectuel à mes yeux et éclore plus vite 5
les paroles sur mes lèvres.   Je repoussais en souriant
la lampe de la main sans détourner mon regard de la
page, et je sentais mes doigts tout chauds de ses pleurs.

XV

QUAND je fus arrivé au moment où Virginie, rap-
pelée en France par sa tante, sent pour ainsi dire le 10
déchirement de son être en deux, et s'efforce de consoler Paul sous les bananiers, en lui parlant de retour
et en lui montrant la mer qui va l'emporter, je fermai
le volume et je remis la lecture au lendemain.

Ce fut un coup au cœur des pauvres gens. Graziella 15
se mit à genoux devant moi, puis devant mon ami,
pour nous supplier d'achever l'histoire. Mais ce fut
en vain. Nous voulions prolonger l'intérêt pour elle,
le charme de l'épreuve pour nous. Elle arracha alors
le livre de mes mains. Elle l'ouvrit comme si elle eût 20
pu, à force de volonté, en comprendre les caractères.
Elle lui parla, elle l'embrassa. Elle le remit respectueusement sur mes genoux, en joignant les mains et
en me regardant en suppliante.

Sa physionomie, si sereine et si souriante dans le 25
calme, mais un peu austère, avait pris tout à coup dans
la passion et dans l'attendrissement sympathique de ce
récit quelque chose de l'animation, du désordre et du

pathétique du drame.   On eût dit qu'une révolution
subite avait changé ce beau marbre en chair et en
larmes.   La jeune fille sentait son âme jusque-là dormante se révéler à elle dans l'âme de Virginie.   Elle
5 semblait avoir mûri de six ans dans cette demi-heure.
Les teintes orageuses de la passion marbraient son
front, le blanc azuré de ses yeux et de ses joues.
C'était comme une eau calme et abritée, où le soleil, le
vent et l'ombre seraient venus à lutter[1] tout à coup pour
10 la première fois.   Nous ne pouvions nous lasser de la
regarder dans cette attitude.   Elle qui jusque-là ne
nous avait inspiré que de l'enjouement, nous inspira
presque de respect.   Mais ce fut en vain qu'elle nous
conjura de continuer : nous ne voulûmes pas user
15 notre puissance en une seule fois, et ses belles larmes
nous plaisaient trop à faire couler pour en tarir la
source en un jour.   Elle se retira en boudant et
éteignit la lampe avec colère.

XVI

Le lendemain, quand je la revis sous les treilles et
20 que je voulus lui parler, elle se détourna comme quelqu'un qui cache ses larmes, et refusa de me répondre.
On voyait à ses yeux bordés d'un léger cercle noir, à la
pâleur plus mate de ses joues et à une légère et gracieuse dépression des coins de sa bouche, qu'elle n'avait
25 pas dormi, et que son cœur était encore gros des cha-
grins imaginaires de la veillée.   Merveilleuse puissance d'un livre qui agit sur le cœur d'une enfant il-
lettrée et d'une famille ignorante avec toute la force

d'une réalité, et dont la lecture est un événement dans
la vie du cœur !

C'est que, de même que je traduisais le poème, le
poème avait traduit la nature, et que ces événements
si simples, le berceau de ces deux enfants aux pieds
des deux pauvres mères, leurs amours innocents, leur
séparation cruelle, ce retour trompé par la mort, ce
naufrage et ces deux tombeaux n'enfermant qu'un
seul cœur sous les bananiers, sont des choses que tout
le monde sent et comprend, depuis le palais jusqu'à la
cabane du pêcheur.   Les poètes cherchent le génie
bien loin, tandis qu'il est dans le cœur, et que quelques
notes bien simples, touchées pieusement et par hasard
sur cet instrument monté par Dieu même, suffisent
pour faire pleurer tout un siècle et pour devenir aussi
populaires que l'amour et aussi sympathique que le
sentiment.   Le sublime lasse, le beau trompe, le pathétique seul est infaillible dans l'art.   Celui qui sait attendrir sait tout.   Il y a plus de génie dans une larme que
dans tous les musées et dans toutes les bibliothèques de
l'univers.   L'homme est comme l'arbre qu'on secoue
pour en faire tomber ses fruits ; on n'ébranle jamais
l'homme sans qu'il en tombe des pleurs.

XVII

Tout le jour, la maison fut triste comme s'il était arrivé un événement douloureux dans l'humble famille.
On se réunit pour prendre les repas sans presque se
parler.   On se sépara.   On se retrouva sans sourire.
On voyait que Graziella n'avait point le cœur à ce

qu'elle faisait en s'occupant dans le jardin ou sur le
toit. Elle regardait souvent si le soleil baissait, et, de
cette journée, il était visible qu'elle n'attendait que le
soir.

5 Quand le soir fut venu et que nous eûmes repris
tous nos places ordinaires sur l'*astrico,* je rouvris le
livre, et j'achevai la lecture au milieu des sanglots.
Père, mère, enfants, mon ami, moi-même, tous par-
ticipaient à l'émotion générale. Le son morne et grave
10 de ma voix se pliait, à mon insu, à la tristesse des
aventures et à la gravité des paroles. Elles semblaient,
à la fin du récit, venir de loin et tomber de haut dans
l'âme avec l'accent creux d'une poitrine vide où le
cœur ne bat plus et ne participe plus aux choses de la
15 terre que par la tristesse, la religion et le souvenir.

XVIII

Il nous fut impossible de prononcer de vaines paroles après ce récit. Graziella resta immobile et sans
geste, dans l'attitude où elle était en écoutant, comme si
elle écoutait encore. Le silence, cet applaudissement
20 des impressions durables et vraies, ne fut interrompu par personne. Chacun respectait dans les autres
les pensées qu'il sentait en soi-même. La lampe presque consumée s'éteignit insensiblement sans qu'aucun
de nous y portât la main pour la ranimer. La famille
25 se leva et se retira furtivement. Nous restâmes seuls,
mon ami et moi, confondus de la toute-puissance de la
vérité, de la simplicité et du sentiment sur tous les
hommes, sur tous les âges et sur tous les pays.

Graziella a a ravishing duplicate of Virginia
Poetry is only a vehicle for thoughts.

GRAZIELLA 71

Peut-être une autre émotion remuait-elle aussi le
fond de notre cœur. La ravissante image de Graziella,
transfigurée par ses larmes, initiée à la douleur par
l'amour, flottait dans nos rêves avec la céleste création
de Virginie. Ces deux noms et ces deux enfants, con- 5
fondus dans les apparitions errantes, enchantèrent et
attristèrent notre sommeil agité jusqu'au matin. Le
soir de ce jour et les deux jours qui suivirent, il fallut relire deux fois à la jeune fille le même récit
Nous l'aurions relu cent fois de suite qu'elle ne se se- 10
rait pas lassée de le demander encore. C'est le caractère des imaginations du Midi, rêveuses et profondes,
de ne pas chercher la variété dans la poésie ou dans la
musique; la musique et la poésie ne sont, pour ainsi
dire, que les thèmes sur lesquels chacun brode ses pro- 15
pres sentiments; on s'y nourrit, sans satiété, comme
le peuple, du même récit et du même air pendant des
siècles. La nature elle-même, cette musique et cette
poésie suprême, qu'a-t-elle autre chose que deux ou
trois paroles et deux ou trois notes, toujours les 20
mêmes, avec lesquelles elle attriste ou enchante les
hommes, depuis le premier soupir jusqu'au dernier?

XIX

Au lever du soleil, le neuvième jour, le vent de l'é-
quinoxe tomba enfin, et en peu d'heures la mer
redevint une mer d'été. Les montagnes mêmes de la 25
côte de Naples, ainsi que les eaux et le ciel, semblaient
nager dans un fluide plus limpide et plus bleu que pendant les mois des grandes chaleurs, comme si la mer,

le firmament et les montagnes eussent déjà senti ce
premier frisson de l'hiver, qui cristallise l'air et le fait
étinceler comme l'eau figée des glaciers. Les feuilles
jaunies de la vigne et les feuilles brunies des figuiers
5 commençaient à tomber et à joncher la cour. Les raisins étaient cueillis. Les figues séchées sur l'*astrico* au
soleil étaient emballées dans des paniers grossiers
d'herbes marines tressées en nattes par les femmes. La
barque était pressée d'essayer la mer, et le vieux
10 pêcheur de ramener sa famille à la Margellina. On
nettoya le maison et le toit; on couvrit la source d'une
grosse pierre, pour que les feuilles séchées et les eaux
d'hiver n'en corrompissent pas le bassin. On épuisa
d'huile le petit puits creusé dans la roche. On mit
15 l'huile dans des jarres; les enfants les descendirent à
la mer en passant de petits bâtons dans les anses. On
fit un paquet entouré de cordes du matelas et des cou-
vertures du lit. On alluma une dernière fois la lampe
sous l'image abandonnée du foyer. On fit une dernière
20 prière devant la Madone, pour lui recommander la maison, le figuier, la vigne que l'on quittait ainsi pour plusieurs mois, puis l'on ferma la porte. On cacha la clef
au fond d'une fente de rocher recouverte de lierre, pour
que le pêcheur, s'il revenait pendant l'hiver, sût où la
25 trouver et qu'il pût visiter son toit. Nous descendîmes
ensuite à la mer, aidant la pauvre famille à emporter
et à embarquer l'huile, les pains et les fruits.

writer having come the fisherman's family prepared
to go to Margellina.

LIVRE TROISIÈME

They returned to Naples where the friends + neighbors of the fisherman could not help admiring the boat. Santino + his friend helped them unload + disembark, bring supplies to the cellar of Andrea + then returned to their lodgings

I

NOTRE retour à Naples, en longeant le fond du golfe de Baïa et les pentes sinueuses du Pausilippe, fut une véritable fête pour la jeune fille, pour les enfants, pour nous, un triomphe pour Andréa. Nous rentrâmes à la Margellina à la nuit close et en chantant. 5 Les vieux amis et les voisins du pêcheur ne se lassaient pas d'admirer sa nouvelle barque. Ils l'aidèrent à la décharger et à la tirer à terre. Comme nous lui avions défendu de dire à qui il la devait, on fit peu d'attention à nous. 10

Après avoir tiré l'embarcation sur la grève et porté les paniers de figues et de raisins au-dessus de la cave d'Andréa, près du seuil de trois chambres basses habitées par la vieille mère, les petits enfants et Graziella, nous nous retirâmes inaperçus. Nous traversâmes, 15 non sans serrement de cœur, le tumulte bruyant des rues populeuses de Naples et nous rentrâmes dans nos logements.

after a few days of rest they decided to resume their life with the fisherman when the weather permitted.

II

NOUS nous proposions, après quelques jours de repos à Naples, de reprendre la même vie avec le pê- 20 cheur toutes les fois que la mer le permettrait. Nous

nous étions si bien accoutumés à la simplicité de nos
costumes et à la nudité de la barque depuis trois mois,
que le lit, les meubles de nos chambres et nos habits
de ville nous semblaient un luxe gênant et fastidieux.
5 Nous espérions bien ne les reprendre que pour peu de
jours. Mais le lendemain, en allant chercher à la poste
nos lettres arriérées, mon ami en trouva une de sa
mère. Elle rappelait son fils sans retard en France,
pour le mariage de sa sœur. Son beau-frère devait
10 venir au-devant de lui jusqu'à Rome. D'après les dates, il devait déjà y être arrivé. Il n'y avait pas à ater-
moyer : il fallait partir.

J'aurais dû partir avec lui. Je ne sais quel attrait
d'isolement et d'aventure me retenait. La vie du ma-
15 rin, la cabane du pêcheur, l'image de Graziella y
étaient peut-être bien pour quelque chose, mais confusément. Le vertige de la liberté, l'orgueil de me suffire à moi-même à trois cents lieues de mon pays, la
passion du vague et de l'inconnu, cette perspective aé-
20 rienne des jeunes imaginations, y étaient pour davantage.

Nous nous séparâmes avec un mâle attendrissement.
Il me promit de venir me rejoindre aussitôt qu'il aurait
satisfait à ses devoirs de fils et de frère. Il me prêta
25 cinquante louis[1] pour combler le vide que ces six mois
avaient fait dans ma bourse, et il partit.

III

CE départ, l'absence de cet ami, qui était pour moi
ce qu'un frère plus âgé est à un frère presque enfant,

me laissèrent dans un isolement que toutes les heures
m'approfondissaient et dans lequel je me sentais enfon-
cer comme dans un abîme. Toutes mes pensées, tous
mes sentiments, toutes mes paroles, qui s'évaporaient
autrefois en les échangeant avec lui, me restaient dans 5
l'âme, s'y corrompaient, s'y attristaient, et me retombaient sur le cœur, comme un poids que je ne pouvais
plus soulever. Ce bruit où rien ne m'intéressait, cette
foule où personne ne savait mon nom, cette chambre
où aucun regard ne me répondait, ces livres qu'on a lus 10
cent fois, et dont les caractères immobiles vous redi-
sent toujours les mêmes mots dans la même phrase et
à la même place; cette vie d'auberge où l'on coudoie
sans cesse des inconnus, où l'on s'assied à une table
muette à côté d'hommes toujours nouveaux et toujours 15
indifférents; tout cela, qui m'avait semblé si délicieux
à Rome et à Naples, avant nos excursions et notre vie
vagabonde et errante de l'été, me semblait maintenant
une morte lente. Je me noyais le cœur de mélancolie. 20

Je traînai quelques jours cette tristesse de rue en
rue, de théâtre en théâtre, de lecture en lecture, sans
pouvoir la secouer. Je tombai malade de ce qu'on appelle le mal du pays. Ma tête était lourde, mes jambes
ne pouvaient me porter. J'étais pâle et défait. Je ne 25
mangeais plus. Le silence m'attristait: le bruit me
faisait mal; je passais les nuits sans sommeil et les
jours couché sur mon lit, sans avoir l'envie ni même la
force de me lever. Le vieux parent de ma mère, le
seul qui pût s'intéresser à moi, était allé passer plu- 30
sieurs mois à trente lieues de Naples dans les Abruzzes, où il voulait établir des manufactures. Je deman-

The doctor told him there was nothing the matter with him

dai un médecin; il vint, me regarda, me tâta le pouls et
me dit que je n'avais aucun mal.   La vérité, c'est que
j'avais un mal auquel la médecine n'avait pas de re-
mède, un mal d'âme et d'imagination.   Il s'en alla.   Je
5 ne le revis plus.

*In desperation I. sent his servant for graziella who was
home alone. She dressed herself in her best clothes, left a message of
where she had gone, and appeared on S's threshold, she gave him
c glance of pity and laying*   IV *her head on his right
shoulder in an attitude of pity she said "*

CEPENDANT je me sentis si mal le lendemain, que je
cherchai dans ma mémoire de qui je pourrais attendre
quelque secours et quelque pitié si je venais à[1] ne pas
me relever.   L'image de la pauvre famille de la Mar-
10 gellina, au milieu de laquelle je vivais encore en souvenir, me revint naturellement à l'esprit.   J'envoyai
un enfant qui me servait chercher Andréa, et lui dire
que le plus jeune des deux étrangers était malade et
demandait à le voir.

15   Quand l'enfant porta son message, Andréa était en
mer avec Beppino; la grand'mère était occupée à vendre des poissons sur le quai de Chiaja.[2]   Graziella
seule était à la maison avec ses petits frères.   Elle prit
à peine le temps de les confier à une voisine, de se vêtir
20 de ses habits les plus neufs de Procitane, et elle suivit
l'enfant, qui lui montra la rue, le vieux couvent, et la
précéda sur l'escalier.

J'entendis frapper doucement à la porte de ma chambre.   La porte s'ouvrit comme poussée par une main
25 invisible; j'aperçus Graziella.   Elle jeta un cri de pitié
en me voyant.   Elle fit quelques pas en s'élançant vers
mon lit; puis se retenant et s'arrêtant debout, les
mains entrelacées et pendantes sur son tablier, la tête

penchée sur l'épaule gauche dans l'attitude de la pitié :
« Comme il est pâle, se dit-elle tout bas ; et comment si
peu de jours ont-ils pu lui changer à ce point le visage ?
Et où est l'autre ? » se dit-elle en se retournant et en
cherchant des yeux mon compagnon ordinaire dans la   5
chambre.

« Il est parti, lui dis-je, et je suis seul et inconnu
à Naples.

— Parti ? dit-elle.   En vous laissant seul et malade
ainsi ? Il ne vous aimait donc pas !   Ah ! si j'avais été   10
à sa place, je ne serais pas partie, moi ; et pourtant je
ne suis pas votre frère, et je ne vous connais que depuis le jour de la tempête ! »

V

JE lui expliquai que je n'étais pas malade quand mon
ami m'avait quitté.   « Mais, comment reprit-elle vive-   15
ment et avec un ton de reproche moitié tendre, moitié
calme, n'avez-vous pas pensé que vous aviez d'autres
amis à la Margellina ?   Ah ! je le vois, ajouta-t-elle
tristement et en regardant ses manches et le bas de sa
robe, c'est que nous sommes des pauvres gens[1] et que   20
nous vous aurions fait honte en entrant dans cette belle
maison.   C'est égal, poursuivit-elle en s'essuyant les
yeux, qu'elle n'avait pas cessé de tenir attachés sur
mon front et sur mes bras affaissés, quand même on
nous eût méprisés, nous serions toujours venus.   25

— Pauvre Graziella, répondis-je en souriant, Dieu
me garde du jour où j'aurai honte de ceux qui m'ai-
ment ! »

Graziella sat down + he talked. Her presence had such a good effect on S. that he did everything he could to prolong her visit. She took care of him all day. She bought him some oranges + made orange juice.

VI

ELLE s'assit sur une chaise au pied de mon lit et nous causâmes un peu.

Le son de sa voix, la sérénité de ses yeux, l'abandon confiant et calme de son attitude, la naïveté de sa
5 physionomie, l'accent à la fois saccadé et plaintif de ces femmes des îles, qui rappelle, comme dans l'Orient, le ton soumis de l'esclave dans les palpitations mêmes de l'amour, la mémoire enfin des belles journées de la cabane passées au soleil avec elle; ces soleils de Pro-
10 cida qui me semblaient encore ruisseler de son front, de son corps et de ses pieds dans ma chambre morne : tout cela, pendant que je la regardais et que je l'écou- tais, m'enlevait tellement à ma langueur et à ma souf- france, que je me crus subitement guéri. Il me sem-
15 blait qu'aussitôt qu'elle serait sortie, j'allais me lever et marcher. Cependant je me sentais si bien par sa présence, que je prolongeais la conversation tant que je pouvais, et que je la retenais sous mille prétextes, de peur qu'elle ne s'en allât trop vite en emportant le
20 bien-être que je ressentais.

Elle me servit une partie du jour sans crainte, sans réserve affectée, sans fausse pudeur, comme une sœur qui sert son frère, sans penser qu'il est un homme. Elle alla m'acheter des oranges. Elle en mordait l'é-
25 corce avec ses belles dents pour en enlever la peau et pour en faire jaillir le jus dans mon verre en le pres- sant avec ses doigts. Elle détacha de son cou une

She attached a little silvermedal to hisbed curtain + told him
that it would make him well. She left him after reassuring
herself 5 or 6 times that he had everything he
wanted.

GRAZIELLA 79

petite médaille d'argent qui pendait par un cordon noir
et se cachait dans sa poitrine. Elle l'attacha avec une
épingle au rideau blanc[1] de mon lit. Elle m'assura que
je serais bientôt guéri par la vertu de la sainte image.
Puis, le jour commençant à baisser, elle me quitta, non 5
sans revenir vingt fois de la porte à mon lit pour s'in-
former de ce que je pourrais désirer encore et pour me
faire des recommandations plus vives de prier bien
dévotement l'image avant de m'endormir.

these things   seemed to make him sleep soundly + deeply.
When he woke up he thought for a minute that his mother or
sister had been there but then he remembered that it was
Graziella :.

VII

SOIT vertu de l'image et des prières qu'elle lui fit 10
sans doute elle-même, soit influence calmante de cette
apparition de tendresse et d'intérêt que j'avais eue sous
les traits de Graziella, soit que la distraction charmante
que sa présence et son entretien m'avaient donnée eût
caressé et apaisé l'agacement de tout mon être, à peine 15
fut-elle sortie que je m'endormis d'un sommeil tranquille et profond.

Le lendemain à mon réveil, en apercevant les écorces
d'oranges qui jonchaient le plancher de ma chambre,
la chaise de Graziella tournée encore vers mon lit 20
comme elle l'avait laissée, et comme si elle allait s'y
rasseoir encore, la petite médaille pendue à mon rideau
par le collier de soie noire, et toutes ces traces de cette
présence et de ces soins de femme qui me manquaient
depuis si longtemps, il me sembla, d'abord mal éveillé, 25
que ma mère ou une de mes sœurs était entrée le soir
dans ma chambre. Ce ne fut qu'en ouvrant tout à fait
les yeux et en rappelant mes pensées une à une, que la

figure de Graziella m'apparut telle que je l'avais vue la veille.

Le soleil était si pur, le repos avait si bien fortifié mes membres, la solitude de ma chambre me pesait tant 5 sur le cœur, le besoin d'entendre de nouveau le son d'une voix connue me pressait si fort, que je me levai aussitôt, tout faible et tout chancelant que j'étais; je mangeai le reste des oranges; je montai dans un *corricolo* de place[1] et je me fis conduire instinctivement 10 du côté de la Margellina.

He arrived at the home of Andrea & found the whole family on the roof, dressed in their best clothes, making ready to visit him. They each had some present for him.

VIII

ARRIVÉ près de la petite maison basse d'Andréa, je montai l'escalier qui menait à la plate-forme au-dessus de la cave, et sur laquelle s'ouvraient les chambres de la famille. Je trouvais sur l'*astrico* Graziella, la 15 grand'mère, le vieux pêcheur, Beppino et les enfants. Ils se disposaient à sortir au même moment, dans leurs plus beaux habits, pour venir me voir. Chacun d'eux portait dans un panier, ou dans un mouchoir, ou à la main, un présent de ce que ces pauvres gens avaient 20 imaginé devoir être plus agréable ou plus salutaire à un malade: celui-ci une fiasque[2] de vin blanc doré d'Ischia, fermée, en guise de liège, par un bouchon de romarin et d'herbes aromatiques qui parfument le vase; celle-là des figues sèches, celle-ci des nèfles, les 25 petits enfants des oranges. Le cœur de Graziella avait passé dans tous les membres de la famille.

IX

Ils jetèrent un cri de surprise en me voyant apparaître encore pâle et faible, mais debout et souriant devant eux. Graziella laissa rouler de joie à terre les oranges qu'elle tenait dans son tablier, et, se frappant les mains l'une contre l'autre, elle courut à moi : « Je vous l'avais bien dit, s'écria-t-elle, que l'image vous guérirait si elle couchait seulement une nuit sur votre lit. Vous avais-je trompé ? » Je voulus lui rendre l'image, et je la pris dans mon sein, où je l'avais mise en sortant. « Baisez-la avant, » me dit-elle. Je la baisai, et un peu aussi le bout de ses doigts qu'elle avait tendus pour me la reprendre. « Je vous la rendrai si vous retombez malade, ajouta-t-elle en la remettant à son cou et en la glissant dans son sein ; elle servira à deux. »

Nous nous assîmes sur la terrasse, au soleil du matin. Ils avaient l'air tous aussi joyeux que s'ils eussent recouvré un frère ou un enfant de retour après un long voyage. Le temps, qui est nécessaire à la formation des amitiés intimes dans les hautes classes, ne l'est pas dans les classes inférieures. Les cœurs s'ouvrent sans défiance, ils se soudent tout de suite, parce qu'il n'y a pas d'intérêt soupçonné sous les sentiments. Il se forme plus de liaison et de parenté d'âme en huit jours parmi les hommes de la nature qu'en dix ans parmi les hommes de la société. Cette famille et moi nous étions déjà parents.

Nous nous informâmes réciproquement de ce qui nous était survenu de bien ou de mal depuis que nous

nous étions séparés. La pauvre maison était en veine
de bonheur. La barque était bénie, les filets étaient
heureux. La pêche n'avait jamais autant rendu. La
grand'mère ne suffisait pas au soin de vendre les pois-
5 sons au peuple devant sa porte; Beppino, fier et fort,
valait un marin de vingt ans, quoiqu'il n'en eût que
douze, Graziella enfin apprenait un état bien au-dessus
de l'humble profession de sa famille. Son salaire, déjà
haut pour le travail d'une jeune fille, et qui monterait
10 davantage encore avec son talent, suffirait pour habiller et nourrir ses petits frères, et pour lui faire une dot
à elle-même quand elle serait *en âge et en idée de faire
l'amour.*

C'étaient les expressions de ses parents. Elle était
15 *corailleuse,* c'est-à-dire elle apprenait à travailler le
corail. Le commerce et la manufacture du corail formaient alors la principale richesse de l'industrie des
villes de la côte d'Italie. Un des oncles de Graziella,
frère de la mère qu'elle avait perdue, était contre-
20 maître dans la principale fabrique de corail de Naples.
Riche pour son état, et dirigeant de nombreux ou-
vriers des deux sexes qui ne pouvaient suffire aux de-
mandes de cet objet de luxe pour toute l'Europe, il
avait pensé à sa nièce, et il était venu peu de jours
25 avant l'enrôler parmi ses ouvrières. Il lui avait ap-
porté le corail, les outils et lui avait donné les premières leçons de son art très simple. Les autres
ouvrières travaillaient en commun à la manufacture.

Graziella, dans l'absence continuelle et forcée de sa
30 grand'mère et du pêcheur, étant la gardienne unique
des enfants, exerçait son métier à la maison. Son
oncle, qui ne pouvait pas s'absenter souvent, envoyait

depuis quelque temps à la jeune fille son fils aîné,
cousin de Graziella, jeune homme de vingt ans, sage,
modeste, rangé, ouvrier d'élite, mais simple d'esprit,
rachitique et un peu contrefait dans sa taille. Il venait le soir, après la fermeture de la fabrique, examiner 5
le travail de sa cousine, la perfectionner dans le manie-
ment des outils, et lui donner aussi les premières leçons
de lecture, d'écriture et de calcul. « Espérons, me dit
tout bas la grand'mère pendant que Graziella détournait les yeux, que cela tournera au profit des deux, et 10
que le maître deviendra le serviteur de sa fiancée.»
Je vis qu'il y avait une pensée d'orgueil et d'ambition
pour sa petite-fille dans l'esprit de la vieille femme.
Mais Graziella ne s'en doutait pas.

X

La jeune fille me mena par la main dans sa chambre, 15
pour me faire admirer les petits ouvrages de corail
qu'elle avait déjà tournés et polis. Ils étaient propre-
ment rangés sur du coton dans de petits cartons sur le
pied de son lit. Elle voulut en façonner un morceau
devant moi. Je faisais tourner la roue du petit tour 20
avec le bout de mon pied, en face d'elle, pendant
qu'elle présentait la branche rouge de corail à la scie
circulaire qui la coupait en grinçant. Elle arrondissait
ensuite ces morceaux en les tenant du bout des doigts
et en les usant contre la meule. 25
La poussière rose recouvrait ses mains, et, volant
quelquefois jusqu'à son visage, saupoudrait ses joues
et ses lèvres d'un léger fard qui faisait paraître ses

yeux plus bleus et plus resplendissants. Puis elle
s'essuya en riant et secoua ses cheveux noirs, dont la
poussière me couvrit à mon tour.

« N'est-ce pas, dit-elle, que c'est un bel état pour une
5 fille de la mer comme moi? Nous lui devons tout, à
la mer; depuis la barque de mon grand-père et le pain
que nous mangeons, jusqu'à ces colliers et à ces pen-
dants d'oreilles dont je me parerai peut-être un jour,
quand j'en aurai tant poli et tant façonné pour de plus
10 riches et de plus belles que moi.»

La matinée se passa ainsi à causer, à folâtrer, à travailler, sans que l'idée me vint de m'en aller. Je par-
tageai, à midi, le repas de la famille. Le soleil, le
grand air, le contentement d'esprit, la frugalité de la
15 table, qui ne portait que du pain, un peu de poisson frit
et des fruits conservés dans la cave, m'avaient rendu
l'appétit et les forces. J'aidai le père, après midi, à
raccomoder les mailles d'un vieux filet étendu sur
l'*astrico*.

20 Graziella, dont nous entendions le pied cadencé
faisant tourner la meule, le bruit du rouet de la grand'-
mère et les voix des enfants qui jouaient avec les
oranges sur le seuil de la maison, accompagnaient mé-
lodieusement notre travail. Graziella sortait de temps
25 en temps pour secouer ses cheveux sur le balcon; nous
échangions un régard, un mot amical, un sourire. Je
me sentais heureux, sans savoir de quoi, jusqu'au fond
de l'âme. J'aurais voulu être une des plantes d'aloès
enracinées dans les clôtures du jardin, ou un des lé-
30 zards qui se chauffaient au soleil auprès de nous sur
la terrasse et qui habitaient avec cette pauvre famille
les fentes du mur de la maison.

XI

MAIS mon âme et mon visage s'assombrissaient à
mesure que baissait le jour. Je devenais triste en pensant qu'il fallait regagner ma chambre de voyageur.
Graziella s'en aperçut la première. Elle alla dire
quelques mots tout bas à l'oreille de sa grand'mère. 5

« Pourquoi nous quitter ainsi? dit la vieille femme
comme si elle eût parlé à un de ses enfants. N'étions-
nous pas bien ensemble à Procida? Ne sommes-nous
pas les mêmes à Naples? Vous avez l'air d'un oiseau
qui a perdu sa mère et qui rôde en criant autour de tous 10
les nids. Venez habiter le nôtre, si vous le trouvez
assez bon pour un *monsieur* comme vous. La maison
n'a que trois chambres, mais Beppino couche dans la
barque. Celle des enfants suffira bien à Graziella,
pourvu qu'elle puisse travailler le jour dans celle où 15
vous dormirez. Prenez la sienne, et attendez ici le
retour de votre ami. Car un jeune homme bon et
triste comme vous, seul dans les rues de Naples, cela
fait de la peine à penser.»

Le pêcheur, Beppino, les petits enfants même, qui 20
aimaient déjà l'étranger, se réjouirent de l'idée de la
bonne femme. Ils insistèrent vivement, et tous ensemble, pour me faire accepter son offre. Graziella
ne dit rien, mais elle attendait, avec une anxiété visible,
voilée par une distraction feinte, ma réponse aux in- 25
sistances de ses parents. Elle frappait du pied, par
un mouvement convulsif et involontaire, à toutes les

raisons de discrétion que je donnais pour ne pas accepter.

Je levai enfin les yeux sur elle. Je vis qu'elle avait
le blanc des yeux plus humide et plus brillant qu'à
5 l'ordinaire, et qu'elle froissait entre ses doigts et brisait
une à une les branches d'une plante de basilic qui végé-
tait dans un pot de terre sur le balcon. Je compris ce
geste mieux que de longs discours. J'acceptai la com-
munauté de vie qu'on m'offrait. Graziella battit des
10 mains et sauta de joie en courant, sans se retourner.
dans sa chambre, comme si elle eût voulu me prendre
au mot sans me laisser le temps de me rétracter.

XII

Graziella appela Beppino. En un instant, son frère
et elle emportèrent dans la chambre des enfants son
15 lit, ses pauvres meubles, son petit miroir entouré de
bois peint, la lampe de cuivre, les deux ou trois images
de la Vierge qui pendaient aux murs attachées par des
épingles, la table et le petit tour où elle travaillait le
corail. Ils puisèrent de l'eau dans le puits, en répan-
20 dirent avec la paume de la main sur le plancher, ba-
layèrent avec soin la poudre de corail sur la muraille
et sur les dalles ; ils placèrent sur l'appui de la fenêtre
les deux pots les plus verts et les plus odorants de
baume et de réséda qu'ils purent trouver sur l'*astrico*.
25 Ils n'auraient pas préparé et poli avec plus de soin la
chambre des noces, si Beppo eût dû amener le soir sa
fiancée dans la maison de son père. Je les aidai en
riant à ce badinage.

Quand tout fut prêt, j'emmenai Beppino et le pêcheur avec moi, pour acheter et rapporter le peu de
meubles qui m'étaient nécessaires. J'achetai un petit
lit de fer complet,[1] une table de bois blanc, deux
chaises de jonc, une petite brasière en cuivre où l'on   5
brûle, les soirs d'hiver, pour se chauffer, les noyaux
enflammés d'olives : ma malle, que j'envoyai prendre
dans ma cellule, contenait tout le reste. Je ne voulais
pas perdre une nuit de cette vie heureuse qui me rendait comme une famille. Le soir même, je couchai 10
dans mon nouveau logement. Je ne me réveillai qu'au
cri joyeux des hirondelles, qui entraient dans ma
chambre par une vitre cassée de la fenêtre, et à la voix
de Graziella, qui chantait dans la chambre à côté en
accompagnant son chant du mouvement cadencé de son 15
tour.

XIII

J'ouvris la fenêtre, qui donnait sur de petits jardins
de pêcheurs et de blanchisseuses encaissés dans le
rocher du mont Pausilippe et dans la place de la Margellina.   20

Quelques blocs de grès brun avaient roulé jusque
dans ces jardins et tout près de la maison. De gros
figuiers, qui poussaient à demi écrasés sous ces rochers, les saisissaient de leurs bras tortueux et blancs
et les recouvraient de leurs larges feuilles immobiles. 25
On ne voyait de ce côté de la maison, dans ces jardins
du pauvre peuple, que quelques puits surmontés d'une
large roue, qu'un âne faisait tourner, pour arroser, par

des rigoles de fenouil, les choux maigres et les navets ;
des femmes séchant le linge sur des cordes tendues
de citronnier en citronnier ; des petits enfants en chemise jouant ou pleurant sur les terrasses de deux ou
5 trois maisonnettes blanches éparses dans les jardins.
Cette vue si bornée, si vulgaire et si livide des fau-
bourgs d'une grande ville, me parut délicieuse en com-
paraison des façades hautes, des rues profondément
encaissées et de la foule bruyante des quartiers que je
10 venais de quitter. Je respirais de l'air pur, au lieu de
la poussière, du feu, de la fumée de cette atmosphère
humaine que je venais de respirer. J'entendais le brai-
ment des ânes, le chant du coq, le bruissement des
feuilles, le gémissement alternatif de la mer, au lieu de
15 ces roulements de voitures, de ces cris aigus du peuple
et de ce tonnerre incessant de tous les bruits stridents
qui ne laissent dans les rues des grandes villes aucune
trêve à l'oreille et aucun apaisement à la pensée.

Je ne pouvais m'arracher de mon lit, où je savou-
20 rais délicieusement ce soleil, ces bruits champêtres,
ces vols d'oiseaux, ce repos à peine ridé[1] de la pensée ;
et puis, en regardant la nudité des murs, le vide de ma
chambre, l'absence des meubles, je me réjouissais en
pensant que cette pauvre maison du moins m'aimait,
25 et qu'il n'y a ni tapis, ni tentures, ni rideaux de
soie qui vaillent un peu d'attachement. Tout l'or du
monde n'achèterait pas un seul battement de cœur ni
un seul rayon de tendresse dans le regard à des indifférents.

30 Ces pensées me berçaient doucement dans mon
demi-sommeil : je me sentais renaître à la santé et à la
paix. Beppino entra plusieurs fois dans ma chambre

pour savoir si je n'avais besoin de rien. Il m'apporta
sur mon lit du pain et des raisins que je mangeai en
jetant des grains et des miettes aux hirondelles. Il
était près de midi. Le soleil entrait à pleins rayons
dans ma chambre avec sa douce tiédeur d'automne 5
quand je me levai. Je convins avec le pêcheur et sa
femme du taux d'une petite pension que je donnerais
par mois, pour le loyer de ma cellule, et pour ajouter
quelque chose à la dépense du ménage. C'était bien
peu, ces braves gens trouvaient que c'était trop. On 10
voyait que, loin de chercher à gagner sur moi, ils souf-
fraient intérieurement de ce que leur pauvreté et la
frugalité trop restreinte de leur vie ne leur permettaient pas de m'offrir une hospitalité dont ils eussent
été plus fiers si elle ne m'avait rien coûté. On ajouta 15
deux pains à ceux qu'on achetait chaque matin pour la
famille, un peu de poisson bouilli ou frit à dîner, du
laitage ou des fruits secs pour le soir, de l'huile pour
ma lampe, de la braise pour les jours froids : ce fut
tout. Quelques *grains* de cuivre, petite monnaie du 20
peuple à Naples, suffisaient par jour à ma dépense.
Je n'ai jamais mieux compris combien le bonheur était
indépendant du luxe, et combien on en achète davantage avec un denier de cuivre qu'avec une bourse d'or,
quand on sait le trouver où Dieu l'a caché. 25

XIV

Je vécus ainsi pendant les derniers mois de l'automne et pendant les premiers mois de l'hiver. L'éclat

et la sérénité de ces mois de Naples les font confondre
avec ceux qui les ont précédés. Rien ne troublait la
monotone tranquillité de notre vie. Le vieillard et
son petit-fils ne s'aventuraient plus en pleine mer, à
5 cause des coups de vent fréquents de cette saison. Ils
continuaient à pêcher le long de la côte, et leur poisson
vendu sur la *marine* par la mère fournissait amplement
à leur vie sans besoins.

Graziella se perfectionnait dans son art; elle gran-
10 dissait et embellissait encore dans la vie plus douce
et plus sédentaire qu'elle menait depuis qu'elle travaillait au corail. Son salaire, que son oncle lui apportait le dimanche, lui permettait non-seulement de
tenir ses petits frères plus propres et mieux vêtus
15 et de les envoyer à l'école, mais encore de donner à
sa grand'mère et de se donner à elle-même quelques
parties de costumes plus riches et plus élégants, parti-
culiers aux femmes de leur île : des mouchoirs de soie
rouge pour pendre, derrière la tête, en long triangle
20 sur les épaules ; des souliers sans talon, qui n'emboîtent
que les doigts du pied, brodés de paillettes d'argent ;
des soubrevestes[1] de soie rayée de noir et de vert : ces
vestes galonnées sur les coutures flottent ouvertes sur
les hanches, elles laissent apercevoir par devant la
25 finesse de la taille et les contours du cou orné de colliers ; enfin de larges boucles d'oreilles ciselées où les
fils d'or s'entrelacent avec de la poussière de perles.[2]
Les plus pauvres femmes des îles grecques portent ces
parures et ces ornements. Aucune détresse ne les
30 forcerait à s'en défaire. Dans les climats où le sentiment de la beauté est plus vif que sous notre ciel et
où la vie n'est que l'amour, la parure n'est pas un luxe

aux yeux de la femme : elle est sa première et presque
sa seule nécessité.

XV

Quand, le dimanche et les jours de fête, Graziella
ainsi vêtue sortait de sa chambre sur la terrasse, avec
quelques fleurs de grenades rouges ou de lauriers-   5
roses sur le côté de la tête, dans ses cheveux noirs ;
quand, en écoutant le son des cloches de la chapelle
voisine, elle passait et repassait devant ma fenêtre
comme un paon qui se mire au soleil sur le toit ; quand
elle traînait languissamment ses pieds emprisonnés   10
dans ses babouches[1] émaillées en les regardant, et puis
qu'elle relevait sa tête avec un ondoiement habituel du
cou pour faire flotter le mouchoir de soie et ses cheveux sur ses épaules ; quand elle s'apercevait que je
la regardais, elle rougissait un peu, comme si elle eût 15
été honteuse d'être si belle ; il y avait des moments où
le nouvel éclat de sa beauté me frappait tellement que
je croyais la voir pour la première fois, et que ma
familiarité ordinaire avec elle se changeait en une sorte
de timidité et d'éblouissement.   20

Mais elle cherchait si peu à éblouir, et son instinct
naturel de parure était si exempt de tout orgueil et de
toute coquetterie, qu'aussitôt après les saintes cérémo-
nies elle se hâtait de se dépouiller de ses riches parures
et de revêtir la simple veste de gros drap vert, la robe 25
d'indienne rayée de rouge et de noir, et de remettre
à ses pieds les pantoufles au talon de bois blanc,
qui résonnaient tout le jour sur la terrasse comme

les babouches retentissantes des femmes esclaves de
l'Orient.

Quand ses jeunes amies ne venaient pas la chercher,
ou que son cousin ne l'accompagnait pas à l'église,
5 c'était souvent moi qui la conduisais et qui l'attendais,
assis sur les marches du péristyle. A sa sortie j'entendais avec une sorte d'orgueil personnel, comme si
elle eût été ma sœur ou ma fiancée, les murmures
d'admiration que sa gracieuse figure excitait parmi
10 ses compagnes et parmi les jeunes marins des quais
de la Margellina. Mais elle n'entendait rien, et, ne
voyant que moi dans la foule, me souriait du haut de
la première marche, faisait son dernier signe de croix
avec ses doigts trempés d'eau bénite, et descendait
15 modestement, les yeux baissés, les degrés au bas des-
quels je l'attendais.

C'est ainsi que, les jours de fête, je la menais le
matin et le soir aux églises, seul et pieux divertisse-
ment qu'elle connût et qu'elle aimât. J'avais soin,
20 ces jours-là, de rapprocher le plus possible mon costume de celui des jeunes marins de l'île, afin que ma
présence n'étonnât personne et qu'on me prît pour le
frère ou pour un parent de la jeune fille que j'accom-
pagnais.

25 Les autres jours, elle ne sortait pas. Quant à moi,
j'avais repris peu à peu ma vie d'étude et mes habitudes solitaires, distraites seulement par la douce amitié de Graziella et par mon adoption dans sa famille.
Je lisais les historiens, les poètes de toutes les langues.
30 J'écrivais quelquefois; j'essayais, tantôt en italien, tantôt en français, d'épancher en prose ou en vers ces
premiers bouillonnements de l'âme, qui semblent peser

sur le cœur jusqu'à ce que la parole les ait soulagés
en les exprimant.

Il semble que la parole soit la seule prédestination
de l'homme, et qu'il ait été créé pour enfanter des
pensées, comme l'arbre pour enfanter son fruit. 5
L'homme se tourmente jusqu'à ce qu'il ait produit au
dehors ce qui le travaille au dedans. Sa parole écrite
est comme un miroir dont il a besoin pour se connaître
lui-même et pour s'assurer qu'il existe. Tant qu'il
ne s'est pas vu dans ses œuvres, il ne se sent pas com- 10
plètement vivant. L'esprit a sa puberté comme le
corps.

J'étais à cet âge où l'âme a besoin de se nourrir et
de se multiplier par la parole. Mais, comme il arrive
toujours, l'instinct se produisait en moi avant la force. 15
Dès que j'avais écrit, j'étais mécontent de mon œuvre
et je la rejetais avec dégoût. Combien le vent et les
vagues de la mer de Naples n'ont-ils pas emporté et
englouti, le matin, de lambeaux de mes sentiments et
de mes pensées de la nuit, déchirés le jour et s'envolant 20
sans regret loin de moi!

XVI

Quelquefois Graziella, me voyant plus longtemps
enfermé et plus silencieux qu'à l'ordinaire, entrait furtivement dans ma chambre pour m'arracher à mes
lectures ou à mes occupations. Elle s'avançait sans 25
bruit derrière ma chaise, elle se levait sur la pointe des
pieds pour regarder par-dessus mes épaules, sans le
comprendre, ce que je lisais ou ce que j'écrivais; puis,

par un mouvement subit, elle m'enlevait le livre ou
m'arrachait la plume des doigts en se sauvant. Je la
poursuivais sur la terrasse ; je me fâchais un peu :
elle riait. Je lui pardonnais ; mais elle me grondait
5 sérieusement, comme aurait pu faire une mère.

« Qu'est-ce que dit donc si longtemps aujourd'hui
à vos yeux ce livre ? murmurait-elle avec une impatience moitié sérieuse, moitié badine. Est-ce que ces
lignes noires sur ce vilain vieux papier n'auront jamais
10 fini de vous parler ? Est-ce que vous ne savez pas
assez d'histoires pour nous en raconter tous les dimanches et tous les soirs de l'année, comme celle qui m'a
tant fait pleurer à Procida ? Et à qui écrivez-vous
toute la nuit ces longues lettres que vous jetez le matin
15 au vent de la mer ? Ne voyez-vous pas que vous vous
faites mal et que vous êtes tout pâle et tout distrait
quand vous avez écrit et lu si longtemps ? Est-ce qu'il
n'est pas plus doux de parler avec moi, qui vous re-
garde, que de parler des jours entiers avec ces morts ou
20 avec ces ombres qui ne vous écoutent pas ? Dieu ! que
n'ai-je donc autant d'esprit que ces feuilles de papier !
je vous parlerais tout le jour, je vous dirais tout ce que
vous me demanderiez, moi, et vous n'auriez pas besoin
d'user ainsi vos yeux et de brûler toute l'huile de votre
25 lampe.»

Alors elle me cachait mon livre et mes plumes, elle
m'apportait ma veste et mon bonnet de marin ; elle me
forçait de sortir pour me distraire.

Je lui obéissais en murmurant, mais en l'aimant.

LIVRE QUATRIÈME

I

J'ALLAIS faire de longues courses à travers la ville,
sur les quais, dans la campagne ; mais ces courses solitaires n'étaient pas tristes comme les premiers jours
de mon retour à Naples. Je jouissais seul, mais je
jouissais délicieusement des spectacles de la ville, de
la côte, du ciel et des eaux. Le sentiment momentané
de mon isolement ne m'accablait plus ; il me recueillait
en moi-même et concentrait les forces de mon cœur et
de ma pensée. Je savais que des pensées et des yeux
amis me suivaient dans cette foule ou dans ces déserts,
et qu'au retour j'étais attendu par des cœurs pleins
de moi.

Je n'étais plus comme l'oiseau qui crie autour des
nids étrangers, suivant l'expression de la vieille femme ;
j'étais comme l'oiseau qui s'essaye à voler à de longues
distances de la branche qui le porte, mais qui sait la
route pour y revenir. Toute mon affection pour mon
ami absent avait reflué sur Graziella. Ce sentiment
avait même quelque chose de plus vif, de plus mordant,
de plus attendri que celui qui m'attachait à lui. Il
me semblait que je devais l'un à l'habitude et aux circonstances, mais que l'autre était né de moi-même, et
que je l'avais conquis par mon propre choix.

Ce n'était pas de l'amour, je n'en avais ni l'agitation ni la jalousie, ni la préoccupation passionnée ; c'était un repos délicieux du cœur, au lieu d'être une fièvre douce de l'âme et des sens. Je ne pensais ni à aimer
5 autrement ni à être aimé davantage. Je ne savais pas si elle était un camarade, un ami, une sœur ou autre chose pour moi ; je savais seulement que j'étais heureux avec elle et elle heureuse avec moi.

Je ne désirais rien de plus, rien autrement. Je n'é-
10 tais pas à cet âge où l'on s'analyse à soi-même ce qu'on éprouve, pour se donner une vaine définition de son bonheur. Il me suffisait d'être calme, attaché et heureux, sans savoir de quoi ni pourquoi. La vie en commun, la pensée à deux, resserraient chaque jour l'in-
15 nocente et douce familiarité entre nous, elle aussi pure dans son abandon que j'étais calme dans mon insouciance.

II

DEPUIS trois mois que j'étais de la famille, que j'habitais le même toit, que je faisais pour ainsi dire,
20 partie de sa pensée, Graziella s'était si bien habituée à me regarder comme inséparable de son cœur, qu'elle ne s'apercevait pas elle-même de toute la place que j'y tenais. Elle n'avait avec moi aucune de ces craintes, de ces réserves, de ces pudeurs qui s'interposent dans
25 les relations d'une jeune fille et d'un jeune homme, et qui souvent font naître l'amour des précautions mêmes que l'on prend pour s'en préserver. Elle ne se doutait pas et je me doutais à peine moi-même que ces pures

grâces d'enfant, écloses maintenant à quelques soleils
de plus, dans tout l'éclat d'une maturité précoce, faisaient de sa beauté naïve une puissance pour elle, une
admiration pour tous et un danger pour moi. Elle ne
prenait aucun souci de la cacher ou de la parer à mes 5
yeux. Elle n'y pensait pas plus qu'une sœur ne pense
si elle est belle ou laide aux yeux de son frère. Elle
ne mettait pas une fleur de plus ou de moins pour moi
dans ses cheveux. Elle n'en chaussait pas plus souvent ses pieds nus, quand elle habillait, le matin, ses 10
petits frères sur la terrasse, au soleil, ou qu'elle aidait
sa grand'mère à balayer les feuilles sèches tombées
sur le toit. Elle entrait à toute heure dans ma chambre
toujours ouverte, et s'asseyait aussi innocemment que
Beppino sur la chaise au pied de mon lit. 15

Je passais moi-même, les jours de pluie, des heures
entières seul avec elle dans la chambre à côté, où elle
dormait avec les enfants et où elle travaillait le corail.
Je l'aidais, en causant et en jouant, à son métier qu'elle
m'apprenait. Moins adroit, mais plus fort qu'elle, je 20
réussissais mieux à dégrossir les morceaux. Nous
faisions ainsi double ouvrage, et dans un jour elle en
gagnait deux.

Le soir, au contraire, quand les enfants et la famille étaient couchés, c'était elle qui devenait l'écolière 25
et moi le maître. Je lui apprenais à lire et à écrire en
lui faisant épeler les lettres sur mes livres et en lui
tenant la main pour lui enseigner à les tracer. Son
cousin ne pouvant pas venir tous les jours, c'était moi
qui le remplaçais. Soit que ce jeune homme, contre- 30
fait et boiteux, n'inspirât pas à sa cousine assez d'attrait et de respect, malgré sa douceur, sa patience et la

gravité de ses manières; soit qu'elle eût elle-même
trop de distractions pendant ses leçons, elle faisait
beaucoup moins de progrès avec lui qu'avec moi. La
moitié de la soirée d'étude se passait à badiner, à rire,
5 à contrefaire le pédagogue.   Le pauvre jeune homme
était trop épris de son élève et trop timide devant elle
pour la gronder. Il faisait tout ce qu'elle voulait,
pour que les beaux sourcils de la jeune fille ne prissent
pas un pli d'humeur et pour que ses lèvres ne lui
10 fissent pas leur petite moue.   Souvent l'heure con-
sacrée à lire se passait à éplucher des grains de corail,
à dévider des écheveaux de laine sur le bois de la quenouille de la grand'mère, ou à raccommoder des mailles
au filet de Beppo. Tout lui était bon, pourvu qu'au
15 départ Graziella lui sourît avec complaisance et lui dît
addio[1] d'un son de voix qui voulût dire : « A revoir ! »

III

Quand c'était avec moi, au contraire, la leçon était
sérieuse.   Elle se prolongeait souvent jusqu'à ce que
nos yeux fussent lourds de sommeil.   On voyait à sa
20 tête penchée, à son cou tendu, à l'immobilité attentive
de son attitude et de sa physionomie, que la pauvre
enfant faisait tous ses efforts pour réussir. Elle ap-
puyait son coude sur mon épaule pour lire dans le
livre où mon doigt traçait la ligne et lui indiquait le
25 mot à prononcer.   Quand elle écrivait, je tenais ses
doigts dans ma main pour guider à demi sa plume.
Si elle faisait une faute, je la grondais d'un air

sévère et fâché. Elle ne répondait pas et ne s'impatientait que contre elle-même. Je la voyais quelquefois prête à pleurer, j'adoucissais alors la voix et je l'encourageais à recommencer. Si elle avait bien lu et bien écrit, au contraire, on voyait qu'elle cherchait elle-même sa récompense dans mon applaudissement. Elle se retournait vers moi en rougissant et avec des rayons de joie orgueilleuse sur le front et dans les yeux, plus fière du plaisir qu'elle me donnait que du petit triomphe de son succès.

Je la récompensais en lui lisant quelques pages de *Paul et Virginie*, qu'elle préférait à tout; ou quelques belles strophes du Tasse, quand il décrit la vie champêtre des bergers chez lesquels Herminie[1] habite, ou qu'il chante les plaintes et les désespoirs des deux amants. La musique de ces vers la faisait pleurer et rêver longtemps encore après que j'avais cessé de lire. La poésie n'a pas d'écho plus sonore et plus prolongé que le cœur de la jeunesse où l'amour va naître. Elle est comme le pressentiment de toutes les passions. Plus tard, elle en est comme le souvenir et le deuil. Elle fait pleurer ainsi aux deux époques extrêmes de la vie: jeunes, d'espérances, et vieux, de regrets.

IV

Les familiarités charmantes de ces longues et douces soirées à la lueur de la lampe, à la tiède et douce chaleur du brasier d'olives sous nos pieds, n'amenaient jamais entre nous d'autres pensées ni d'autres intimités que ces intimités d'enfants. Nous étions défendus,

moi par mon insouciance presque froide, elle par sa
candeur et sa pureté. Nous nous séparions aussi tranquilles que nous nous étions réunis, et, un moment
après ces longs entretiens, nous dormions sous le
5 même toit, à quelques pas l'un de l'autre, comme deux
enfants qui ont joué ensemble le soir et qui ne rêvent
rien au delà de leurs simples amusements. Ce calme
des sentiments qui s'ignorent et qui se nourrissent
d'eux-mêmes aurait duré des années sans une circons-
10 tance qui changea tout et qui nous révéla à nous-
mêmes la nature d'une amitié qui nous suffisait pour
être heureux.

V

Cecco, c'était le nom du cousin de Graziella, continuait à venir plus assidûment de jour en jour passer
15 les soirs d'hiver dans la famille du *marinaro*.[1] Bien
que la jeune fille ne lui donnât aucune marque de préférence, et qu'il fût même l'objet habituel de ses badi-
nages et un peu le jouet de sa cousine, il était si doux,
si patient et si humble devant elle, qu'elle ne pouvait
20 s'empêcher d'être touchée de ses complaisances et de
lui sourire parfois avec bonté. C'était assez pour lui.
Il était de cette nature de cœurs faibles, mais aimants,
qui, se sentant déshérités par la nature des qualités qui
font qu'on est aimé, se contentent d'aimer sans retour,
25 et qui se dévouent comme des esclaves volontaires au
service, sinon au bonheur de la femme à qui ils assu-
jétissent leur cœur. Ce ne sont pas les plus nobles,
mais ce sont les plus touchantes natures d'attachement.

On les plaint, mais on les admire. Aimer pour être aimé, c'est de l'homme ; mais aimer pour aimer, c'est presque de l'ange.

VI

Sous les traits les plus disgracieux, il y avait quelque chose d'angélique dans l'amour du pauvre Cecco. Aussi, bien loin d'être humilié ou jaloux des familiarités ou des préférences dont j'étais à ses yeux l'objet de la part de Graziella, il m'aimait parce qu'elle m'aimait. Dans l'affection de sa cousine il ne demandait pas la première place ou la place unique, mais la seconde ou la dernière : tout lui suffisait. Pour lui plaire un moment, pour en obtenir un regard de complaisance, un geste, un mot gracieux, il serait venu me chercher au fond de la France et me ramener à celle qui me préférait à lui. Je crois même qu'il m'eût haï si j'avais fait de la peine à sa cousine.

Son orgueil était en elle comme son amour. Peutêtre aussi, froid à l'intérieur, réfléchi, sensé et méthodique, tel que Dieu et son infirmité l'avaient fait, calculait-il instinctivement que mon empire sur les penchants de sa cousine ne serait pas éternel ; qu'une circonstance quelconque, mais inévitable, nous séparerait ; que j'étais étranger, d'un pays lointain, d'une condition et d'une fortune évidemment incompatibles avec celles de la fille d'un marinier de Procida ; qu'un jour ou l'autre l'intimité entre sa cousine et moi se romprait comme elle s'était formée ; qu'elle lui resterait alors, seule, abandonnée, désolée ; que ce désespoir même flé-

chirait son cœur et le lui donnerait brisé, mais tout entier. Ce rôle de consolateur et d'ami était le seul auquel il pût prétendre. Mais son père avait une autre
pensée pour lui.

VII

5　　Le père, connaissant l'attachement de Cecco pour
sa nièce, venait la voir de temps en temps. Touché de
sa beauté, de sa sagesse, émerveillé des progrès rapides
qu'elle faisait dans la pratique de son art, dans la lecture et dans l'écriture; pensant d'ailleurs que les dis-
10 grâces de la nature ne permettaient pas à Cecco d'aspirer à d'autres tendresses qu'à des tendresses de conve-
nance et de famille, il avait résolu de marier son fils à
sa nièce. Sa fortune faite, et assez considérable pour
un ouvrier, lui permettait de regarder sa demande
15 comme une faveur à laquelle Andréa, sa femme et la
jeune fille ne penseraient même pas à résister. Soit
qu'il eût parlé de son projet à Cecco, soit qu'il eût
caché sa pensée pour lui faire une surprise de son bonheur, il résolut de s'expliquer.

VIII

20　　La veille de Noël, je rentrai plus tard que de cou-
tume pour prendre ma place au souper de famille. Je
m'aperçus de quelque froideur et de quelque trouble
dans la physionomie évidemment contrainte d'Andréa

et de sa femme. Levant les yeux sur Graziella, je vis
qu'elle avait pleuré. La sérénité et la gaieté étaient si
habituelles sur son visage, que cette expression inac-
coutumée de tristesse la couvrait comme d'un voile
matériel.   On eût dit que l'ombre de ses pensées et   5
de son cœur s'était répandue sur ses traits. Je restai
pétrifié et muet, n'osant interroger ces pauvres gens ni
parler à Graziella, de peur que le seul son de ma voix
ne fît éclater son cœur, qu'elle paraissait à peine contenir.   10

Contre son habitude, elle ne me regardait pas. Elle
portait d'une main distraite les morceaux de pain à
sa bouche et faisait semblant de manger par conte-
nance; mais elle ne pouvait pas. Elle jetait le pain
sous la table. Avant la fin du repas taciturne, elle prit 15
le prétexte de mener coucher les enfants; elle les en-
traîna dans leur chambre; elle s'y renferma sans dire
adieu ni à ses parents ni à moi, et nous laissa seuls.

Quand elle fut sortie, je demandai au père et à la
mère quelle était la cause du sérieux de leurs pensées 20
et de la tristesse de leur enfant. Alors ils me racontèrent que le père de Cecco était venu dans la journée
à la maison; qu'il avait demandé leur petite-fille en
mariage pour son fils; que c'était un bien grand bonheur et une haute fortune pour la famille; que Cecco 25
aurait du bien; que Graziella, qui était si bonne, pren-
drait avec elle et élèverait ses deux petits frères,
comme ses propres enfants; que leurs vieux jours à
eux-mêmes seraient ainsi assurés contre la misère;
qu'ils avaient consenti avec reconnaissance à ce ma- 30
riage, qu'ils en avaient parlé à Graziella; qu'elle n'avait
rien répondu, par timidité et par modestie de jeune

fille; que son silence et ses larmes étaient l'effet de sa
surprise et de son émotion, mais que cela se passerait
comme une mouche sur une fleur; enfin qu'entre le
père de Cecco et eux il avait été convenu qu'on ferait
5 les fiançailles après les fêtes de Noël.

IX

Ils parlaient encore que depuis longtemps je n'entendais déjà plus. Je ne m'étais jamais rendu compte
à moi-même de l'attachement que j'avais pour Graziella. Je ne savais pas comment je l'aimais; si c'était
10 de l'intimité pure, de l'amitié, de l'amour, de l'habitude ou de tous ces sentiments réunis que se compo-
sait mon inclination pour elle. Mais l'idée de voir
ainsi soudainement changées toutes ces douces relations de vie et de cœur qui s'étaient établies et comme
15 cimentées à notre insu entre elle et moi; la pensée qu'on
allait me la prendre pour la donner tout à coup à un
autre; que, de ma compagne et de ma sœur qu'elle
était à présent, elle allait me devenir étrangère et indifférente; qu'elle ne serait plus là; que je ne la ver-
20 rais plus à toute heure; que je n'entendrais plus sa
voix m'appeler; que je ne lirais plus dans ses yeux ce
rayon, toujours levé sur moi, de lumière caressante et
de tendresse, qui m'éclairait doucement le cœur et qui
me rappelait ma mère et mes sœurs; le vide et la nuit
25 profonde que je me figurais tout à coup autour de moi,
là, le lendemain du jour où son mari l'aurait emmenée
dans une autre maison; cette chambre où elle ne dor-
mirait plus; la mienne où elle n'entrerait plus; cette

table où je ne la verrais plus assise; cette terrasse où
je n'entendrais plus le bruit de ses pieds nus ou de sa
voix, le matin, à mon réveil; ces églises où je ne la
conduirais plus les dimanches; cette barque où sa place
resterait vide, et où je ne causerais plus qu'avec le vent   5
et les flots; les images pressées de toutes ces douces
habitudes de notre vie passée, qui me remontaient à la
fois dans la pensée et qui s'évanouissaient tout à coup
pour me laisser dans un abîme de solitude et de néant,
tout cela me fit sentir pour la première fois ce qu'était   10
pour moi la société de cette jeune fille, et me montra
trop qu'amour ou amitié, le sentiment qui m'attachait
à elle était plus fort que je ne le croyais, et que le charme, inconnu à moi-même, de ma vie sauvage à Naples,
ce n'était ni la mer, ni la barque, ni l'humble chambre   15
dans la maison, ni le pêcheur, ni sa femme, ni Beppo,
ni les enfants, c'était un seul être, et que, cet être dis-
paru de la maison, tout disparaissait à la fois. Elle de
moins dans ma vie présente, et il n'y avait plus rien.
Je le sentis: ce sentiment, confus jusque-là, et que je ne   20
m'étais jamais confessé, me frappa d'un tel coup, que
tout mon cœur en tressaillit et que j'éprouvai quelque
chose de l'infini de l'amour par l'infini de la tristesse
dans laquelle mon cœur se sentit tout à coup sub-
mergé.   25

X

Je rentrai en silence dans ma chambre. Je me jetai
tout habillé sur mon lit. J'essayai de lire, d'écrire, de
penser, de me distraire par quelque travail d'esprit pénible et capable de dominer mon agitation. Tout fut

inutile. L'agitation intérieure était si forte que je ne
pus avoir deux pensées, et que l'accablement même de
mes forces ne put pas amener le sommeil. Jamais
l'image de Graziella ne m'avait paru jusque-là aussi ra-
5 vissante et aussi obstinée devant les yeux. J'en jouissais comme de quelque chose qu'on voit tous les jours,
et dont on ne sent la douceur qu'en la perdant. Sa
beauté même n'était rien pour moi jusqu'à ce jour ; je
confondais l'impression que j'en ressentais avec l'effet
10 de l'amitié que j'éprouvais pour elle et de celle que sa
physionomie exprimait pour moi. Je ne savais pas
qu'il y eût de l'admiration dans mon attachement ; je
ne soupçonnais pas la moindre passion dans sa tendresse.

15 Je ne me rendis pas bien compte de tout cela, même
dans les longues circonvolutions[1] de mon cœur pendant
l'insomnie de cette nuit. Tout était confus dans ma
douleur comme dans mes sensations. J'étais comme
un homme étourdi d'un coup soudain, qui ne sait pas
20 encore bien d'où il souffre, mais qui souffre de partout.

Je quittai mon lit avant qu'aucun bruit se fît entendre dans la maison. Je ne sais quel instinct me portait à m'éloigner pendant quelque temps, comme si ma
25 présence eût dû troubler dans un pareil moment le
sanctuaire de cette famille, dont le sort s'agitait ainsi
devant un étranger.

Je sortis en avertissant Beppo que je ne reviendrais
pas de quelques jours. Je pris au hasard la direction
30 que me tracèrent mes premiers pas. Je suivis les longs
quais de Naples, la côte de Resina,[2] de Portici, le pied
du Vésuve. Je pris des guides à Torre del Greco ; je

couchai sur une pierre, à la porte de l'ermitage de San
Salvatore,[1] aux confins où la nature habitée finit et
où la région du feu commence. Comme le volcan était
depuis quelque temps en ébullition et lançait à chaque
secousse ces nuages de cendre et de pierres que nous 5
entendions rouler la nuit jusque dans le ravin de lave
qui est au pied de l'ermitage, mes guides refusèrent
de m'accompagner plus loin. Je montai seul ; je gravis
péniblement le dernier cône en enfonçant mes pieds et
mes mains dans une cendre épaisse et brûlante qui s'é- 10
boulait sous le poids de l'homme. Le volcan grondait
et tonnait par moments. Les pierres calcinées et encore rouges pleuvaient çà et là autour de moi en s'étei-
gnant dans la cendre. Rien ne m'arrêta. Je parvins
jusqu'au rebord extrême du cratère. Je m'assis. Je 15
vis le soleil sur le golfe, sur la campagne et sur la ville
éblouissante de Naples. Je fus insensible et froid à
ce spectacle que tant de voyageurs viennent admirer
de mille lieues. Je ne cherchais dans cette immensité
de lumière, de mers, de côtes et d'édifices frappés du 20
soleil, qu'un petit point blanc au milieu du vert sombre
des arbres, à l'extrémité de la colline du Pausilippe où
je croyais distinguer la chaumière d'Andréa. L'homme
a beau regarder et embrasser l'espace, la nature entière
ne se compose pour lui que de deux ou trois points sen- 25
sibles auxquels toute son âme aboutit. Ôtez de la vie
le cœur qui vous aime : qu'y reste-t-il ? Il en est de
même de la nature. Effacez-en le site et la maison que
vos pensées cherchent ou que vos souvenirs peuplent,
ce n'est plus qu'un vide éclatant où le regard se plonge 30
sans trouver ni fond ni repos. Faut-il s'étonner après
cela que les sublimes scènes de la création soient con-

templées d'un œil si divers par les voyageurs? C'est
que chacun porte avec soi son point de vue. Un nuage
sur l'âme couvre et décolore plus la terre qu'un nuage
sur l'horizon. Le spectacle est dans le spectateur. Je
5 l'éprouvai.

XI

Je regardai tout; je ne vis rien. En vain je descendis comme un insensé, en me retenant aux pointes de
laves refroidies, jusqu'au fond du cratère. En vain je
franchis les crevasses profondes d'où la fumée et les
10 flammes rampantes m'étouffaient et me brûlaient. En
vain je contemplai les grands champs de soufre et de
sel cristallisés qui ressemblaient à des glaciers coloriés
par ces haleines du feu. Je restai aussi froid à l'admiration qu'au danger. Mon âme était ailleurs; je
15 voulais en vain la rappeler.

Je redescendis le soir à l'ermitage. Je congédiai mes
guides; je revins à travers les vignes de Pompéia. Je
passai un jour entier à me promener dans les rues désertes de la ville engloutie. Ce tombeau, ouvert après
20 deux mille ans[1] et rendant au soleil ses rues, ses monuments, ses arts, me laissa aussi insensible que le
Vésuve. L'âme de toute cette cendre a été balayée
depuis tant de siècles par le vent de Dieu qu'elle ne
me parlait plus au cœur. Je foulais sous mes pieds
25 cette poussière d'hommes dans les rues de ce qui fut
leur ville avec autant d'indifférence que ces amas de
coquillages vides roulés par la mer sur ses bords. Le
temps est une grande mer qui déborde, comme l'autre

mer, de nos débris. On ne peut pas pleurer sur tous.
A chaque homme ses douleurs, à chaque siècle sa pitié;
c'est bien assez.

En quittant Pompéia, je m'enfonçai dans les gorges
boisées des montagnes de Castellamare et de Sorrente. 5
J'y vécus quelques jours, allant d'un village à l'autre,
et me faisant guider par les chevriers aux sites les plus
renommés de leurs montagnes. On me prenait pour
un peintre qui étudiait des points de vue, parce que
j'écrivais de temps en temps quelques notes sur un 10
petit livre de dessins que mon ami m'avait laissé. Je
n'étais qu'une âme errante qui divaguait çà et là dans
la campagne pour user les jours. Tout me manquait.
Je me manquais à moi-même.

Je ne pus continuer plus longtemps. Quand les 15
fêtes de Noël furent passées, et ce premier jour de
l'année aussi, dont les hommes ont fait une fête comme
pour séduire et fléchir le temps avec des joies et des
couronnes, comme un hôte sévère qu'on veut attendrir,
je me hâtai de rentrer à Naples. J'y rentrai la nuit et 20
en hésitant, partagé entre l'impatience de revoir Graziella et la terreur d'apprendre que je ne la verrais
plus. Je m'arrêtai vingt fois; je m'assis sur le rebord
des barques en approchant de la Margellina.

Je rencontrai Beppo à quelques pas de la maison. 25
Il jeta un cri de joie en me voyant, et il me sauta au
cou comme un jeune frère. Il m'emmena vers sa barque et me raconta ce qui s'était passé en mon absence.

Tout était bien changé dans la maison. Graziella
ne faisait plus que pleurer depuis que j'étais parti. 30
Elle ne se mettait plus à table pour le repas. Elle ne
travaillait plus au corail. Elle passait tous ses jours

enfermée dans sa chambre sans vouloir répondre quand
on l'appelait, et toutes ses nuits à se promener sur la
terrasse. On disait dans le voisinage qu'elle était folle,
ou qu'elle était tombée *innamorata*.[1] Mais lui savait
5 bien que ce n'était pas vrai.

Tout le mal venait, disait l'enfant, de ce qu'on voulait la fiancer à Cecco et qu'elle ne le voulait pas.
Beppino avait tout vu et tout entendu. Le père de
Cecco venait tous les jours demander une réponse à
10 son grand-père et à sa grand'mère. Ceux-ci ne ces-
saient pas de tourmenter Graziella pour qu'elle donnât
enfin son consentement. Elle ne voulait pas en entendre parler ; elle disait qu'elle se sauverait plutôt à Genève.[2] C'est pour le peuple catholique de Naples une
15 expression analogue à celle-ci : « Je me ferais plutôt
renégat.» C'est une menace pire que celle du suicide :
c'est le suicide éternel de l'âme. Andréa et sa femme,
qui adoraient Graziella, se désespéraient à la fois de
sa résistance et de la perte de leurs espérances d'éta-
20 blissement pour elle. Ils la conjuraient par leurs cheveux blancs ; ils lui parlaient de leur vieillesse, de leur
misère, de l'avenir des deux enfants. Alors Graziella
s'attendrissait. Elle recevait un peu mieux le pauvre
Cecco, qui venait de temps en temps s'asseoir humble-
25 ment le soir à la porte de la chambre de sa cousine et
jouer avec les petits. Il lui disait bonjour et adieu à
travers la porte : mais il était rare qu'elle lui répondît
un seul mot. Il s'en allait mécontent, mais résigné, et
revenait le lendemain toujours le même. « Ma sœur
30 a bien tort, disait Beppino. Cecco l'aime tant, et il est
si bon ! Elle serait bien heureuse ! Enfin, ce soir,
ajouta-t-il, elle s'est laissé vaincre par les prières de

mon grand-père et de ma grand'mère et par les larmes
de Cecco. Elle a entr'ouvert un peu la porte, elle lui
a tendu la main ; il a passé une bague à son doigt, et elle
a promis qu'elle se laisserait fiancer demain. Mais qui
sait si demain elle n'aura pas un nouveau caprice? 5
Elle qui était si douce et si gaie! Mon Dieu! qu'elle
a changé! Vous ne la reconnaîtriez plus!... »

XII

Beppino se coucha dans la barque. Instruit ainsi
par lui de ce qui s'était passé, j'entrai dans la maison. 10

Andréa et sa femme étaient seuls sur l'*astrico*. Ils
me racontèrent leurs peines et leurs espérances touchant Graziella. « Si vous aviez été là, me dit Andréa,
vous qu'elle aime tant et à qui elle ne dit jamais non,
vous nous auriez bien aidés. Que nous sommes con- 15
tents de vous revoir! C'est demain que se font les fiançailles ; vous y serez ; votre présence nous a toujours
porté bonheur.»

Je sentis un frisson courir sur tout mon corps à ces
paroles de ces pauvres gens. Quelque chose me disait 20
que leur malheur viendrait de moi. Je brûlais et je
tremblais de revoir Graziella. J'affectais de parler
haut à ses parents, de passer et de repasser devant sa
porte comme quelqu'un qui ne veut pas appeler, mais
qui désire être entendu. Elle resta sourde, muette, et 25
ne parut pas. J'entrai dans ma chambre et je me couchai. Un certain calme que produit toujours dans
l'âme agitée la cessation du doute et la certitude de

quoi que ce soit, même du malheur, s'empara enfin de
mon esprit. Je tombai sur mon lit comme un poids
mort et sans mouvement. La lassitude des pensées
et des membres me jeta promptement dans des rêves
5 confus, puis dans l'anéantissement du sommeil.

XIII

DEUX ou trois fois dans la nuit je me réveillai à demi.
C'était une de ces nuits d'hiver, plus rares, mais plus
sinistres qu'ailleurs, dans les climats chauds et au bord
de la mer. Les éclairs jaillissaient sans interruption
10 à travers les fentes de mes volets, comme les cligne-
ments d'un œil de feu sur les murs de ma chambre.
Le vent hurlait comme des meutes de chiens affamés.
Les coups sourds d'une lourde mer sur la grève de la
Margellina faisaient retentir toute la rive, comme si
15 on y avait jeté des blocs de rocher.

Ma porte tremblait et battait au souffle du vent.
Deux ou trois fois il me sembla qu'elle s'ouvrait,
qu'elle se refermait d'elle-même et que j'entendais des
cris étouffés et des sanglots humains dans les siffle-
20 ments et dans les plaintes de la tempête. Je crus même
une fois avoir entendu résonner des paroles et prononcer mon nom par une voix en détresse qui aurait ap-
pelé au secours ! Je me levai sur mon séant ; je n'entendis plus rien : je crus que la tempête, la fièvre et les
25 rêves m'absorbaient dans leurs illusions ; je retombai
dans l'assoupissement.

Le matin, la tempête avait fait place au plus pur
soleil. Je fus réveillé par des gémissements véritables

et par des cris de désespoir du pauvre pêcheur et de sa
femme, qui se lamentaient sur le seuil de la porte de
Graziella. La pauvre petite s'était enfuie pendant la
nuit. Elle avait réveillé et embrassé les enfants en
leur faisant signe de se taire. Elle avait laissé sur son 5
lit tous ses plus beaux habits et ses boucles d'oreilles,
ses colliers, le peu d'argent qu'elle possédait.

Le père tenait à la main un morceau de papier
taché de quelques gouttes d'eau, qu'on avait trouvé
attaché par une épingle sur le lit. Il y avait cinq ou 10
six lignes qu'il me priait, éperdu, de lire. Je pris le
papier. Il ne contenait que ces mots écrits en tremblant dans l'accès de la fièvre, et que j'avais peine à
lire : « J'ai trop promis... une voix me dit que c'est
plus fort que moi... J'embrasse vos pieds. Par- 15
donnez-moi. J'aime mieux me faire religieuse. Con-
solez Cecco et le *Monsieur*... Je prierai Dieu pour
lui et pour les petits. Donnez-leur tout ce que j'ai.
Rendez la bague à Cecco...»

A la lecture de ces lignes, toute la famille fondit de 20
nouveau en larmes. Les petits enfants, encore tout
nus, entendant que leur sœur était partie pour toujours, mêlaient leurs cris aux gémissements des deux
vieillards et couraient dans toute la maison en appelant Graziella. 25

XIV

LE billet tomba de mes mains. En voulant le ra-
masser, je vis à terre, sous ma porte, une fleur de
grenade que j'avais admirée le dernier dimanche dans
les cheveux de la jeune fille, et la petite médaille de

dévotion qu'elle portait toujours dans son sein, et
qu'elle avait attachée quelques mois avant à mon rideau pendant ma maladie.   Je ne doutai plus que ma
porte ne se fût en effet ouverte et refermée pendant
5 la nuit ; que les paroles et les sanglots étouffés que
j'avais cru entendre et que j'avais pris pour les
plaintes du vent ne fussent les adieux et les sanglots
de la pauvre enfant.   Une place sèche sur le seuil ex-
térieur de l'entrée de ma chambre, au milieu des
10 traces de pluie qui tachaient tout le reste de la terrasse, attestait que la jeune fille s'était assise là pendant l'orage, qu'elle avait passé sa dernière heure à
se plaindre et à pleurer, couchée ou agenouillée sur
cette pierre.   Je ramassai la fleur de grenade et la mé-
15 daille, et je les cachai dans mon sein.

Les pauvres gens, au milieu de leur désespoir,
étaient touchés de me voir pleurer comme eux.   Je
fis ce que je pus pour les consoler.   Il fut convenu
que, s'ils retrouvaient leur fille, on ne lui parlerait
20 plus de Cecco.   Cecco lui-même, que Beppo était allé
chercher, fut le premier à se sacrifier à la paix de la
maison et au retour de sa cousine.   Tout désespéré
qu'il fût, on voyait qu'il était heureux de ce que son
nom était prononcé avec tendresse dans le billet, et
25 qu'il trouvait une sorte de consolation dans les adieux
mêmes qui faisaient son désespoir.

« Elle a pensé à moi pourtant,» disait-il, et il s'es-
suyait les yeux.   Il fut à l'instant convenu entre nous
que nous n'aurions pas un instant de repos avant d'a-
30 voir trouvé les traces de la fugitive.

Le père et Cecco sortirent à la hâte pour aller s'in-
former dans les innombrables monastères de femmes

de la ville. Beppo et la grand'mère coururent chez toutes les jeunes amies de Graziella qu'ils soupçonnèrent d'avoir reçu quelques confidences de ses pensées et de sa fuite. Moi, étranger, je me chargeai de visiter les quais, les portes de Naples et les portes de 5 la ville, pour interroger les gardes, les capitaines de navire, les mariniers, et pour savoir si aucun d'eux n'avait vu une jeune Procitane sortir de la ville et s'embarquer le matin.

La matinée se passa dans de vaines recherches. 10 Nous rentrâmes tous silencieux et mornes à la maison pour nous raconter mutuellement nos démarches et pour nous consulter de nouveau. Personne, excepté les enfants, n'eut la force de porter un morceau de pain à la bouche. Andréa et sa femme s'assirent dé- 15 couragés sur le seuil de la chambre de Graziella. Beppino et Cecco retournèrent errer sans espoir dans les rues et dans les églises, que l'on rouvre le soir à Naples pour les litanies et les bénédictions.

XV

Je sortis seul après eux, et je pris tristement et au 20 hasard la route qui mène à la grotte du Pausilippe.[1] Je franchis la grotte; j'allai jusqu'au bord de la mer qui baigne la petite île de Nisida.

Du bord de la mer, mes yeux se portèrent sur Procida, qu'on voit blanchir de là comme une écaille de 25 tortue sur le bleu des vagues. Ma pensée se reporta naturellement sur cette île et sur ces jours de fête que j'y avais passés avec Graziella. Une inspiration m'y

guidait.   Je me souvins que la jeune fille avait là une
amie presque de son âge, fille d'un pauvre habitant
des chaumières voisines ; que cette jeune fille portait
un costume particulier qui n'était pas celui de ses com-
5 pagnes.   Un jour que je l'interrogeais sur les motifs
de cette différence dans ses habits, elle m'avait répondu qu'elle était religieuse, bien qu'elle demeurât libre
chez ses parents, dans une espèce d'état intermédiaire
entre le cloître et la vie de famille.   Elle me fit voir
10 l'église de son monastère.   Il y en avait plusieurs dans
l'île, ainsi qu'à Ischia et dans les villages de la campagne de Naples.

   La pensée me vint que Graziella, voulant se vouer à
Dieu, serait peut-être allée se confier à cette amie et
15 lui demander de lui ouvrir les portes de son monastère.
Je ne m'étais pas donné le temps de réfléchir, et j'étais
déjà marchant à grands pas sur la route de Pouzzoles,
ville la plus rapprochée de Procida où l'on trouve des
barques.

20   J'arrivai à Pouzzoles en moins d'une heure.   Je
courus au port ; je payai double deux rameurs pour
les déterminer à me jeter à Procida malgré la mer forte
et la nuit tombante.   Ils mirent leur barque à flot.
Je saisis une paire de rames avec eux.   Nous dou-
25 blâmes avec peine le cap Misène.   Deux heures après
j'abordais l'île et gravissais tout seul, tout essoufflé et
tout tremblant, au milieu des ténèbres et aux coups de
vent d'hiver, les degrés de la longue rampe qui conduisait à la cabane d'Andréa.

XVI

« Si Graziella est dans l'île, me disais-je, elle sera
venue d'abord là, par l'instinct naturel qui pousse l'oiseau vers son nid et l'enfant vers la maison de son
père. Si elle n'y est plus, quelques traces me diront
qu'elle y a passé. Ces traces me conduiront peut-être 5
où elle est. Si je n'y trouve ni elle ni traces d'elle, tout
est perdu : les portes de quelque sépulcre vivant se
seront à jamais refermées sur sa jeunesse.»

Agité de ce doute terrible, je touchais au dernier
degré. Je savais dans quelle fente de rocher la vieille 10
mère, en partant, avait caché la clef de la maison.
J'écartai le lierre et j'y plongeai la main. Mes doigts
y cherchaient à tâtons la clef, tout crispés de peur de
sentir le froid du fer, qui ne m'eût plus laissé d'espérance... 15

La clef n'y était pas. Je poussai un cri étouffé
de joie et j'entrai à pas muets dans la cour. La
porte, les volets étaient fermés ; une légère lueur qui
s'échappait par les fentes de la fenêtre et qui flottait
sur les feuilles du figuier trahissait une lampe allumée 20
dans la demeure. Qui eût pu trouver la clef, ouvrir la
porte, allumer la lampe, si ce n'était l'enfant de la
maison ? Je ne doutai pas que Graziella ne fût à
deux pas de moi, et je tombai à genoux sur la dernière
marche de l'escalier pour remercier l'ange qui m'avait 25
guidé jusqu'à elle.

XVII

Aucun bruit ne sortait de la maison. Je collai mon
oreille au seuil ; je crus entendre le faible bruit d'une
respiration et comme des sanglots au fond de la seconde chambre. Je fis trembler légèrement la porte
5 comme si elle eût été seulement ébranlée sur ses gonds
par le vent, afin d'appeler peu à peu l'attention de
Graziella, et pour que le son soudain et inattendu
d'une voix humaine ne la tuât pas en l'appelant. La
respiration s'arrêta. J'appelai alors Graziella à demi-
10 voix et avec l'accent le plus calme et le plus tendre que
je pus trouver dans mon cœur. Un faible cri me
répondit du fond de la maison.

Je l'appelai de nouveau en la conjurant d'ouvrir à
son ami, à son frère, qui venait seul, la nuit, à travers
15 la tempête et guidé par son bon ange, la chercher, la
découvrir, l'arracher à son désespoir, lui apporter le
pardon de sa famille, le sien et la ramener à son devoir,
à son bonheur, à sa pauvre grand'mère, à ses chers
petits enfants !

20 « Dieu ! c'est lui ! c'est mon nom ! c'est sa voix ! »
s'écria-t-elle sourdement.

Je l'appelai plus tendrement Graziellina, de ce nom
de caresse que je lui donnais quelquefois quand nous
badinions ensemble.

25 « Oh ! c'est bien lui, dit-elle ; je ne me trompe pas,
mon Dieu ! c'est lui ! »

Je l'entendis se soulever sur les feuilles sèches, qui

bruissaient à chacun de ses mouvements, faire un pas
pour venir m'ouvrir, puis retomber de faiblesse ou d'é-
motion, sans pouvoir aller plus avant.

XVIII

Je n'hésitai plus, je donnai un coup d'épaule de
toutes les forces de mon impatience et de mon inquié- 5
tude à la vieille porte. La serrure céda et se détacha
sous l'effort, et je me précipitai dans la maison.

La petite lampe, rallumée devant la madone par
Graziella, l'éclairait d'une faible lueur. Je courus au
fond de la seconde chambre, où j'avais entendu sa voix 10
et sa chute, et où je la croyais évanouie. Elle ne
l'était pas; seulement sa faiblesse avait trahi son
effort: elle était retombée sur le tas de bruyère sèche
qui lui servait de lit, et joignait les mains en me regardant. Ses yeux, animés par la fièvre, ouverts par 15
l'étonnement et alanguis par l'amour, brillaient fixes
comme deux étoiles dont les lueurs tombent du ciel
et qui semblent vous regarder.

Sa tête, qu'elle cherchait à relever, retombait de
faiblesse sur les feuilles, renversée en arrière et 20
comme si le cou était brisé. Elle était pâle comme l'a-
gonie, excepté sur les pommettes des joues, teintes de
quelques vives roses. Sa belle peau était marbrée de
taches de larmes et de la poussière qui s'y était attachée. Son vêtement noir se confondait avec la couleur 25
brune des feuilles répandues à terre et sur lesquelles
elle était couchée. Ses pieds nus, blancs comme le

marbre, dépassaient de toute leur longueur le tas de
bruyère et reposaient sur la pierre.   Des frissons couraient sur tous ses membres et faisaient claquer ses
dents comme des castagnettes dans une main d'enfant.
5 Le mouchoir rouge qui enveloppait ordinairement les
longues tresses noires de ses beaux cheveux était dé-
taché et étendu comme un demi-voile sur son front,
jusqu'au bord de ses yeux.   On voyait qu'elle s'en
était servie pour ensevelir son visage et ses larmes
10 dans l'ombre comme dans l'immobilité anticipée d'un
linceul, et qu'elle ne l'avait relevé qu'en entendant ma
voix et en se plaçant sur son séant pour venir m'ouvrir.

XIX

Je me jetai à genoux à côté de la bruyère ; je pris
ses deux mains glacées dans les miennes, je les portai
15 à mes lèvres pour les réchauffer sous mon haleine ;
quelques larmes de mes yeux y tombèrent.   Je compris au serrement convulsif de ses doigts, qu'elle avait
senti cette pluie du cœur et qu'elle m'en remerciait.
J'ôtai ma capote de marin, je la jetai sur ses pieds
20 nus, je les enveloppai dans les plis de la laine.

Elle me laissait faire, en me suivant seulement des
yeux avec une expression d'heureux délire, mais sans
pouvoir encore s'aider elle-même d'aucun mouvement,
comme un enfant qui se laisse emmaillotter et retour-
25 ner dans son berceau.   Je jetai ensuite deux ou trois
fagots de bruyère dans le foyer de la première chambre pour réchauffer un peu l'air ; je les allumai à la

flamme de la lampe, et je revins m'asseoir à terre, à
côté du lit de feuilles.

« Que je me sens bien! me dit-elle en parlant tout
bas, d'un ton doux, égal et monotone, comme si sa
poitrine eût perdu à la fois toute vibration et tout accent et n'eût plus conservé qu'une seule note dans la
voix. J'ai voulu en vain me le cacher à moi-même,
j'ai voulu en vain te le cacher toujours à toi. Je peux
mourir, mais je ne peux pas aimer un autre que toi.
Ils ont voulu me donner un fiancé... c'est toi qui es
le fiancé de mon âme! Je ne me donnerai pas à un
autre sur la terre, car je me suis donnée en secret à
toi! Toi sur la terre, ou Dieu dans le ciel! c'est le
vœu que j'ai fait le premier jour où j'ai compris que
mon cœur était malade de toi. Je sais bien que je ne
suis qu'une pauvre fille, indigne de toucher seulement
tes pieds par sa pensée. Aussi je ne t'ai jamais demandé de m'aimer. Je ne te demanderai jamais si tu
m'aimes. Mais moi, je t'aime, je t'aime, je t'aime! »
Et elle semblait concentrer toute son âme dans ces trois
mots. « Et maintenant, méprise-moi, raille-moi, foule-
moi aux pieds! Moque-toi de moi, si tu veux, comme
d'une folle qui rêve qu'elle est reine dans ses haillons.
Livre-moi à la risée de tout le monde! Oui, je leur
dirai moi-même: « Oui, je l'aime! et si vous aviez été
à ma place, vous auriez fait comme moi: vous seriez
mortes ou vous l'auriez aimé.»

XX

Je tenais les yeux baissés, n'osant les relever sur elle, de peur que mon regard ne lui en dît trop ou trop peu pour tant de délire. Cependant je relevai, à ces mots, mon front collé sur ses mains, et je balbutiai quelques
5 paroles.

Elle me mit le doigt sur les lèvres : « Laisse-moi tout dire. Maintenant, je suis contente ; je n'ai plus de doute, Dieu s'est expliqué. Écoute :

« Hier, quand je me suis sauvée de la maison après
10 avoir passé toute la nuit à combattre et à pleurer à ta porte, quand je suis arrivée ici à travers la tempête, j'y suis venue croyant ne plus te revoir jamais, et comme une morte qui marcherait d'elle-même à la tombe. Je devais me faire religieuse demain, aussitôt
15 le jour venu. Quand je suis arrivée la nuit à l'île, et que je suis allée frapper au monastère, il était trop tard, la porte était fermée. On a refusé de m'ouvrir. Je suis venue ici pour passer la nuit et baiser les murs de la maison de mon père avant d'entrer dans la mai-
20 son de Dieu et dans le tombeau de mon cœur. J'ai écrit par un enfant à une amie de venir me chercher demain. J'ai pris la clef, j'ai allumé la lampe devant la Madone. Je me suis mise à genoux et j'ai fait un vœu, un dernier vœu, un vœu d'espérance jusque dans
25 le désespoir. Car tu sauras, si jamais tu aimes, qu'il reste toujours une dernière lueur de feu au fond de l'âme, même quand on croit que tout est éteint.

« Sainte protectrice, lui ai-je dit, envoyez-moi un signe de ma vocation pour m'assurer que l'amour ne me trompe pas et que je donne véritablement à Dieu une vie qui ne doit appartenir qu'à lui seul !

« Voici ma dernière nuit commencée parmi les vivants. Nul ne sait où je la passe. Demain peut-être on viendra me chercher ici quand je n'y serai déjà plus. Si c'est l'amie que j'ai envoyé avertir qui vient la première, ce sera signe que je dois accomplir mon dessein, et je la suivrai pour jamais au monastère.

« Mais si c'était lui qui parût avant elle !... lui qui vint, guidé par mon ange, me découvrir et m'arrêter au bord de mon autre vie !... Oh ! alors, ce sera signe que vous ne voulez pas de moi, et que je dois retourner avec lui pour l'aimer le reste de mes jours !

« Faites que ce soit lui ! ai-je ajouté. Faites ce miracle de plus, si c'est votre dessein et celui de Dieu ! Pour l'obtenir, je vous fais un don, le seul que je puisse faire, moi qui n'ai rien. Voici mes cheveux, mes pauvres et longs cheveux qu'il aime et qu'il dé-noua si souvent en riant pour les voir flotter au vent sur mes épaules. Prenez-les, je vous les donne ; je vais les couper moi-même pour vous prouver que je ne me réserve rien, et que ma tête subit d'avance le ciseau qui les couperait demain en me séparant du monde.»

A ces mots, elle écarta de la main gauche le mouchoir de soie qui lui couvrait la tête, et prenant de l'autre le long écheveau de ses cheveux coupés, et couchés à côté d'elle sur le lit de feuilles, elle me les montra en les déroulant. « La Madone a fait le miracle ! reprit-elle avec une voix plus forte et avec un accent intime de joie ; elle t'a envoyé ! J'irai où tu voudras. Mes cheveux sont à elle, ma vie est à toi.»

Je me précipitai sur les tresses coupées de ses beaux cheveux noirs, qui me restèrent dans les mains comme une branche morte détachée de l'arbre. Je les couvris de baisers muets, je les pressai contre mon cœur, je les arrosai de larmes comme si c'eût été une partie d'elle-même que j'ensevelissais morte dans la terre. Puis, reportant les yeux sur elle, je vis sa charmante tête qu'elle relevait toute dépouillée, mais comme parée et embellie de son sacrifice, resplendir de joie et d'amour au milieu des tronçons noirs et inégaux de ses cheveux déchirés plutôt que coupés par les ciseaux. Elle m'apparut comme la statue mutilée de la Jeunesse dont les mutilations mêmes du temps relèvent la grâce et la beauté en ajoutant l'attendrissement à l'admiration. Cette profanation d'elle-même, ce suicide de sa beauté pour l'amour de moi me portèrent au cœur un coup dont le retentissement ébranla tout mon être et me précipita le front contre terre à ses pieds. Je pressentis ce que c'était qu'aimer, et je pris ce pressentiment pour de l'amour!

XXI

Hélas! ce n'était pas le complet amour, ce n'en était en moi que l'ombre; mais j'étais trop enfant et trop naïf encore pour ne pas m'y tromper moi-même. Je crus que j'adorais comme tant d'innocence, de beauté et d'amour méritaient d'être adorés d'un amant. Je le lui dis avec cet accent sincère que donne l'émotion,

et avec cette passion contenue que donne la solitude,
la nuit, le désespoir, les larmes. Elle le crut, parce
qu'elle avait besoin de le croire pour vivre, et parce
qu'elle avait assez de passion elle-même dans son âme
pour couvrir l'insuffisance de mille autres cœurs.   5

La nuit entière se passa ainsi dans l'entretien confiant, mais naïf et pur, de deux êtres qui se dévoilent
innocemment leur tendresse, et qui voudraient que la
nuit et le silence fussent éternels, pour que rien d'é-
tranger à eux ne vînt s'interposer entre la bouche et le 10
cœur. Sa piété et ma réserve timide, l'attendrissement même de nos âmes éloignaient de nous tout autre
danger. Le voile de nos larmes était sur nous.

Je tenais ses deux mains dans les miennes ; je les
sentais se ranimer à la vie. J'allais lui chercher de 15
l'eau fraîche pour boire dans le creux de ma main ou
pour essuyer son front et ses joues. Je rallumais le
feu en y jetant quelques branches ; puis je revenais
m'asseoir sur la pierre, à côté du fagot de myrte où
reposait sa tête, pour entendre et pour entendre encore 20
les confidences délicieuses de son amour : comment il
était né en elle à son insu, sous les apparences d'une
pure et douce amitié de sœur ; comment elle s'était
d'abord alarmée, puis rassurée ; à quel signe elle avait
enfin reconnu qu'elle m'aimait ; combien de marques 25
secrètes de préférence elle m'avait données à mon insu ;
quel jour elle croyait s'être trahie ; quel autre elle avait
cru s'apercevoir que je la payais de retour ; les heures,
les gestes, les sourires, les mots échappés et retenus,
les révélations ou les nuages involontaires de nos vi- 30
sages pendant ces six mois. Sa mémoire avait tout
conservé : elle lui rappelait tout, comme l'herbe des

montagnes du midi, à laquelle le vent a mis le feu
pendant l'été, conserve l'empreinte de l'incendie à
toutes les places où la flamme a passé.

XXII

ELLE y ajoutait ces mystérieuses superstitions du
5 sentiment qui donnent un sens et un prix aux plus
insignifiantes circonstances.   Elle levait, pour ainsi
dire, un à un tous les voiles de son âme devant moi.
Elle se montrait comme à Dieu, dans toute la nudité
de sa candeur, de son enfance, de son abandon. L'âme
10 n'a qu'une fois dans la vie de ces moments où elle se
verse tout entière dans une autre âme avec ce murmure
intarissable des lèvres qui ne peuvent suffire à son
amoureux épanchement, et qui finissent par balbutier
des sons inarticulés et confus comme des baisers d'en-
15 fant qui s'endort.

Je ne me lassais pas moi-même d'écouter, de gémir
et de frissonner tour à tour.   Bien que mon cœur, trop
léger et trop vert encore de jeunesse, ne fût ni assez
mûr ni assez fécond pour produire de lui-même de si
20 brûlantes et de si divines émotions, ces émotions faisaient, en tombant dans le mien, une impression si
neuve et si délicieuse, qu'en les sentant je croyais les
éprouver.   Erreur! j'étais la glace et elle était le feu.
En le reflétant je croyais le produire. N'importe : ce
25 rayonnement, répercuté de l'un à l'autre, semblait appartenir à tous les deux et nous envelopper de l'atmosphère du même sentiment.

XXIII

Ainsi s'écoula cette longue nuit d'hiver. Cette nuit n'eut pour elle et pour moi que la durée du premier soupir qui dit qu'on aime. Il nous sembla, quand le jour parut, qu'il venait d'interrompre ce mot à peine commencé. 5

Le soleil était cependant déjà haut sur l'horizon quand ses rayons glissèrent entre les volets fermés et pâlirent la lueur de la lampe. Au moment où j'ouvris la porte, je vis toute la famille du pêcheur qui montait en courant l'escalier. 10

La jeune religieuse de Procida, amie de Graziella, à qui elle avait envoyé son message la veille et confié le dessein d'entrer le lendemain au monastère, soupçonnant quelque désespoir de cœur, avait envoyé la nuit un de ses frères à Naples pour avertir les parents de la 15 résolution de Graziella. Informés ainsi de leur enfant retrouvée, ils arrivaient en hâte, tout joyeux et tout repentants, pour l'arrêter sur le bord de son désespoir et la ramener libre et pardonnée avec eux.

La grand'mère se jeta à genoux près du lit en poussant de ses deux bras les deux petits enfants qu'elle avait amenés pour l'attendrir, et en se couvrant de leurs corps comme d'un bouclier contre les reproches de sa petite-fille. Les enfants se jetèrent tout en cris et tout en pleurs dans les bras de leur sœur. En se 25 levant pour les caresser et pour embrasser sa grand'-mère, le mouchoir qui couvrait la tête de Graziella tomba et laissa voir sa tête dépouillée de sa chevelure.

A la vue de ces outrages à sa beauté dont ils com-
prirent trop le sens, ils frémirent. Les sanglots écla-
tèrent de nouveau dans la maison. La religieuse qui
venait d'entrer calma et consola tout le monde ; elle
5 ramassa les tresses coupées du front de Graziella, elle
les fit toucher à l'image de la Madone en les pliant
dans un mouchoir de soie blanc, et les remit dans le
tablier de la grand'mère. « Gardez-les, lui dit-elle,
pour les lui montrer de temps en temps, dans son bon-
10 heur ou dans ses peines, et pour lui rappeler, quand elle
appartiendra à celui qu'elle aime, que les prémices de
son cœur doivent appartenir toujours à Dieu, comme
les prémices de sa beauté lui appartiennent dans cette
chevelure.»

XXIV

15 LE soir, nous revînmes tous ensemble à Naples.
Le zèle que j'avais montré pour retrouver et sauver
Graziella dans cette circonstance avait redoublé l'affection de la vieille femme et du pêcheur pour moi.
Aucun d'eux ne soupçonnait la nature de mon intérêt
20 pour elle et de son attachement pour moi. On attri-
buait toute sa répugnance à la difformité de Cecco.
On espérait vaincre cette répugnance par la raison et
le temps. On promit à Graziella de ne plus la presser
pour le mariage. Cecco lui-même supplia son père
25 de ne plus en parler ; il demandait, par son humilité,
par son attitude et par ses regards, pardon à sa cousine
d'avoir été l'occasion de sa peine. Le calme rentra
dans la maison.

XXV

Rien ne jetait plus aucune ombre sur le visage de
Graziella ni sur mon bonheur, si ce n'est la pensée que
ce bonheur serait tôt ou tard interrompu par mon retour dans mon pays. Quand on venait à prononcer le
nom de la France, la pauvre fille pâlissait comme si elle 5
eût vu le fantôme de la mort. Un jour, en rentrant
dans ma chambre, je trouvai tous mes habits de ville
déchirés et jetés en pièces sur le plancher. « Par-
donne-moi, me dit Graziella en se jetant à genoux à
mes pieds et en levant vers moi son visage décomposé; 10
c'est moi qui ai fait ce *malheur!* Oh! ne me gronde
pas! Tout ce qui me rappelle que tu dois quitter un
jour ces habits de marin me fait trop de mal! Il me
semble que tu dépouilleras ton cœur d'aujourd'hui
pour en prendre un autre quand tu mettras tes habits 15
d'autrefois.»

Excepté ces petits orages qui n'éclataient que de la
chaleur de sa tendresse et qui s'apaisaient sous quelques larmes de nos yeux, trois mois s'écoulèrent ainsi
dans une félicité imaginaire que la moindre réalité 20
devait briser en nous touchant. Notre Éden était sur
un nuage.

Et c'est ainsi que je connus l'amour: par une larme
dans des yeux d'enfant.

XXVI

Que nous étions heureux ensemble lorsque nous pouvions oublier complètement qu'il existait un autre monde au delà de nous, un autre monde que cette maisonnette au penchant du Pausilippe; cette terrasse au
5 soleil, cette petite chambre où nous travaillions en jouant la moitié du jour; cette barque couchée dans son lit de sable sur la grève, et cette belle mer dont le vent humide et sonore nous apportait la fraîcheur et les mélodies des eaux!
10 Mais, hélas! il y avait des heures où nous nous prenions à penser que le monde ne finissait pas là, et qu'un jour se lèverait et ne nous retrouverait plus ensemble sous le même rayon de lune ou de soleil. J'ai tort de tant accuser la sécheresse de mon cœur alors en le
15 comparant à ce qu'il a ressenti depuis. Au fond, je commençais à aimer Graziella mille fois plus que je ne me l'avouais à moi-même. Si je ne l'avais pas aimée autant, la trace qu'elle laissa pour toute la vie dans mon âme n'aurait pas été si profonde et si douloureuse,
20 et sa mémoire ne se serait pas incorporée à moi si délicieusement et si tristement, son image ne serait pas si présente et si éclatante dans mon souvenir. Bien que mon cœur fût du sable alors, cette fleur de mer s'y enracinait pour plus d'une saison, comme les lis mira-
25 culeux de la petite plage s'enracinent sur les grèves de l'île d'Ischia.

XXVII

Et quel œil assez privé de rayons, quel cœur assez
éteint en naissant ne l'aurait pas aimée? Sa beauté
semblait se développer du soir au matin avec son
amour. Elle ne grandissait plus, mais elle s'accom-
plissait dans toutes ses grâces; grâces hier d'enfant, 5
aujourd'hui de jeune fille éclose. Ses formes sveltes
se transformaient à vue d'œil en contours plus suaves
et plus arrondis par l'adolescence. Sa stature prenait
de l'aplomb sans rien perdre de son élasticité. Ses
beaux pieds nus ne foulaient plus si légèrement le sol 10
de terre battue; elle les traînait avec cette indolence et
cette langueur que semblait imprimer à tout le corps le
poids des premières pensées amoureuses de la femme.

Ses cheveux repoussaient avec la sève forte et touf-
fue des plantes marines sous les vagues tièdes du 15
printemps. Je m'amusais souvent à en mesurer la
croissance en les étirant roulés autour de mon doigt
sur la taille galonnée de sa soubreveste verte. Sa
peau blanchissait et se colorait à la fois des mêmes
teintes dont la poudre rose du corail saupoudrait tous 20
les jours le bout de ses doigts. Ses yeux grandis-
saient et s'ouvraient de jour en jour davantage comme
pour embrasser un horizon qui lui aurait apparu tout
à coup. C'était l'étonnement de la vie quand Galatée[1]
sent une première palpitation sous le marbre. Elle 25
avait involontairement avec moi des pudeurs et des
timidités d'attitude, de regards, de gestes, qu'elle
n'avait jamais eues auparavant. Je m'en apercevais,

et j'étais souvent tout muet et tout tremblant moi-
même auprès d'elle.   On aurait dit que nous étions
deux coupables, et nous n'étions que deux enfants
trop heureux.

5   Et cependant depuis quelque temps un fond de
tristesse se cachait ou se révélait sous ce bonheur.
Nous ne savions pas bien pourquoi, mais la destinée
le savait, elle.   C'était le sentiment de la brièveté du
temps qui nous restait à passer ensemble.

XXVIII

10   Souvent Graziella, au lieu de reprendre joyeuse-
ment son ouvrage après avoir habillé et peigné ses
petits frères, restait assise au pied du mur d'appui de la
terrasse, à l'ombre des grosses feuilles d'un figuier
qui montait d'en bas jusque sur le rebord du mur.
15 Elle demeurait là immobile, le regard perdu, pendant
des demi-journées entières.   Quand sa grand'mère
lui demandait si elle était malade, elle répondait qu'elle
n'avait aucun mal, mais qu'elle était lasse avant d'avoir
travaillé.   Elle n'aimait pas qu'on l'interrogeât alors.
20 Elle détournait le visage de tout le monde, excepté
de moi.   Mais moi, elle me regardait longtemps sans
me rien dire.   Quelquefois ses lèvres remuaient comme
si elle avait parlé, mais elle balbutiait des mots que
personne n'entendait.   On voyait de petits frissons,
25 tantôt blancs, tantôt roses, courir sur la peau de ses
joues et la rider comme la nappe d'eau dormante touchée par le premier pressentiment des vents du matin.
Mais quand je m'asseyais à côté d'elle, que je lui

prenais la main, que je chatouillais légèrement les
longs cils de ses yeux fermés avec l'aile de ma plume
ou avec l'extrémité d'une tige de romarin, alors elle
oubliait tout, elle se mettait à rire et à causer comme
autrefois. Seulement elle semblait triste après avoir 5
ri et badiné avec moi.

Je lui disais quelquefois : « Graziella, qu'est-ce que
tu regardes donc ainsi là-bas, au bout de la mer,
pendant des heures entières ? Est-ce que tu y vois
quelque chose que nous n'y voyons pas, nous ?   10

— J'y vois la France derrière des montagnes de
glace, me répondait-elle.

— Et qu'est-ce que tu vois donc de si beau en
France ? ajoutais-je.

— J'y vois quelqu'un qui te ressemble, répliquait- 15
elle, quelqu'un qui marche, marche, marche sur une
longue route blanche qui ne finit pas. Il marche sans se
retourner, toujours, toujours devant lui, et j'attends des
heures entières, espérant toujours qu'il se retournera
pour revenir sur ses pas ! Mais il ne se retourne pas ! » 20

Et puis elle se mettait le visage dans son tablier,
et j'avais beau l'appeler des noms les plus caressants,
elle ne relevait plus son beau front.

Je rentrais alors bien triste moi-même dans ma
chambre. J'essayais de lire pour me distraire, mais 25
je voyais toujours sa figure entre mes yeux et la page.
Il me semblait que les mots prenaient une voix et
qu'ils soupiraient comme nos cœurs. Je finissais souvent aussi par pleurer tout seul ; mais j'avais honte de
ma mélancolie, et je ne disais jamais à Graziella que 30
j'avais pleuré. J'avais bien tort : une larme de moi
lui aurait fait tant de bien !

XXIX

Je me souviens de la scène qui lui fit le plus de peine au cœur et dont elle ne se remit jamais complètement.

Elle s'était depuis quelque temps liée d'amitié avec
5 deux ou trois jeunes filles à peu près de son âge. Ces jeunes filles habitaient une des maisonnettes dans les jardins. Elles repassaient ou raccommodaient les robes d'une maison d'éducation de jeunes Françaises. Le roi Murat avait établi cette maison à Naples pour
10 les jeunes filles de ses ministres et de ses généraux. Ces jeunes Procitanes causaient souvent d'en bas en faisant leur ouvrage avec Graziella, qui les regardait par-dessus le mur d'appui de la terrasse. Elles lui montraient les belles dentelles, les belles soies, les
15 beaux chapeaux, les beaux souliers, les rubans, les châles qu'elles apportaient ou qu'elle remportaient pour les jeunes élèves de ce couvent. C'étaient des cris d'étonnement et d'admiration qui ne finissaient pas. Quelquefois les petites ouvrières venaient prendre Gra-
20 ziella pour la conduire à la messe ou aux vêpres en musique dans la petite chapelle du Pausilippe. J'allais au-devant d'elles quand le jour tombait et que les tintements réitérés de la cloche m'avertissaient que le prêtre allait donner la bénédiction. Nous revenions
25 en folâtrant sur la grève de la mer, en nous avançant sur la trace de la lame quand elle se retirait, et en nous sauvant devant le vague quand elle revenait avec un bourrelet d'écume sur nos pieds. Dieu! que Gra-

ziella était jolie alors, quand, tremblant de mouiller
ses belles pantoufles brodées de paillettes d'or, elle
courait, les bras tendus en avant vers moi, comme
pour se réfugier sur mon cœur contre le flot jaloux
de la retenir ou de lui lécher du moins les pieds ! 5

XXX

Je voyais depuis quelque temps qu'elle me cachait
je ne sais quoi de ses pensées. Elle avait des entretiens secrets avec ses jeunes amies les ouvrières.
C'était comme un petit complot auquel on ne m'admet-
tait pas. 10

Un soir, je lisais dans ma chambre à la lueur d'une
petite lampe de terre rouge. Ma porte sur la terrasse était ouverte pour laisser entrer la brise de mer.
J'entendis du bruit, de longs chuchotements de jeunes
filles, des rires étouffés, puis de petites plaintes, des 15
mots d'humeur, puis de nouveaux éclats de voix in-
terrompus par de longs silences dans la chambre de
Graziella et des enfants. Je n'y fis pas grande attention d'abord.

Cependant l'affectation même qu'on mettait à étouf- 20
fer les chuchotements et l'espèce de mystère qu'ils
supposaient entre les jeunes filles excitèrent ma curiosité. Je posai mon livre, je pris la lampe de terre
de la main gauche, je l'abritai de la main droite contre
les bouffées du vent pour qu'elle ne s'éteignît pas. 25
Je traversai à pas muets la terrasse, en assourdissant
mes pas sur les dalles. Je collai mon oreille contre la
porte de Graziella. J'entendis un bruit de pas qui

allaient et venaient dans la chambre, des froissements
d'étoffes qu'on pliait et qu'on dépliait, le cliquetis des
dés, des aiguilles, des ciseaux de femmes qui ajus-
taient des rubans, qui épinglaient des fichus, et ces
5 babillages, ces bourdonnements de fraîches voix que
j'avais souvent entendus dans la maison de ma mère
quand mes sœurs s'habillaient pour le bal.

Il n'y avait pas de fête au Pausilippe pour le lendemain. Graziella n'avait jamais songé à relever sa
10 beauté par la toilette. Il n'y avait pas même un miroir
dans sa chambre. Elle se regardait dans le seau d'eau
du puits de la terrasse, ou plutôt elle ne se regardait
que dans mes yeux.

Ma curiosité ne résista pas à ce mystère. Je pous-
15 sai la porte du genou. La porte céda. Je parus, ma
lampe à la main, sur le seuil.

Les jeunes ouvrières jetèrent un cri et s'échap-
pèrent en volée d'oiseaux, se réfugiant, comme si on
les avait surprises en crime, dans les coins de la cham-
20 bre. Elles tenaient encore à la main les objets de
conviction, l'une le fil, l'autre les ciseaux, celle-ci les
fleurs, celle-là les rubans. Mais Graziella, placée au
milieu de la chambre sur un petit escabeau de bois,
et comme pétrifiée par mon apparition inattendue,
25 n'avait pas pu s'échapper. Elle était rouge comme
une grenade. Elle baissait les yeux, elle n'osait pas
me regarder, à peine respirer. Tout le monde se tai-
sait dans l'attente de ce que j'allais dire. Je ne disais
rien moi-même ; j'étais absorbé dans la surprise et
30 dans la contemplation muette de ce que je voyais.

Graziella avait dépouillé ses vêtements de lourde
laine, sa soubreveste galonnée à la mode de Procida,

qui s'entr'ouvre sur la poitrine pour laisser la respiration à la jeune fille et la source de vie à l'enfant,
ses pantoufles à paillettes d'or et au talon de bois,
dans lesquelles jouaient ordinairement ses pieds nus,
les longues épingles à boules de cuivre qui enroulaient 5
transversalement sur le sommet de sa tête ses cheveux
noirs, comme une vergue enroule la voile sur la barque.
Ses boucles d'oreilles, larges comme des bracelets,
étaient jetées confusément sur son lit avec ses habits
du matin.   10

A la place de ce pittoresque costume grec qui sied
à la pauvreté comme à la richesse, qui laisse, par la
robe tombante à mi-jambes, par l'échancrure du cor-
sage et par l'entaille des manches, la liberté et la sou-
plesse à toutes les formes du corps de la femme, les 15
jeunes amies de Graziella l'avaient revêtue, à sa prière,
des habits et des parures d'une demoiselle française,
à peu près de sa taille et de son âge dans le couvent.
Elle avait une robe de soie moirée, une ceinture rose,
un fichu blanc, une coiffe ornée de fleurs artificielles, 20
des souliers de satin bleu, des bas à mailles de soie
qui laissaient voir la couleur de chair sur les chevilles
arrondies de ses pieds.

Elle restait dans ce costume sous lequel je venais
de la surprendre. Je la regardais moi-même sans pou- 25
voir en détacher mes yeux, mais sans qu'un geste, une
exclamation, un sourire pussent lui révéler l'impression
que j'éprouvais de son travestissement. Une larme m'é-
tait montée au cœur. J'avais tout de suite et trop bien
compris la pensée de la pauvre enfant. Honteuse de 30
la différence de condition entre elle et moi, elle avait
voulu éprouver si un rapprochement dans le costume

rapprocherait à mes yeux nos destinées. Elle avait
tenté cette épreuve à mon insu, avec l'aide de ses
amies, espérant m'apparaître tout à coup ainsi plus
belle et plus de mon espèce qu'elle ne croyait l'être
5 sous les simples habits de son île et de son état. Elle
s'était trompée. Elle commençait à s'en apercevoir
à mon silence. Sa figure prenait une expression d'impatience désespérée et presque de larmes, qui me révélait son dessein caché, son crime et sa déception.

10 　Elle était bien belle ainsi cependant. Sa pensée devait l'embellir mille fois plus à mes yeux. Mais sa
beauté ressemblait presque à une torture. C'était
comme une figure de ces jeunes vierges du Corrège,[1]
clouées au poteau sur le bûcher de leur martyre et se
15 tordant dans leurs liens pour échapper aux regards
qui profanent leur pudicité. Hélas! c'était un martyre aussi pour la pauvre Graziella; mais ce n'était
pas, comme on eût pu le croire en la voyant, le martyre
de sa vanité: c'était le martyre de son amour.

20 　Les habillements de la jeune pensionnaire française du couvent dont on l'avait vêtue, coupés sans
doute pour la taille maigre et pour les bras et les
épaules grêles d'une enfant cloîtrée de treize à qua-
torze ans, s'étaient rencontrés trop étroits pour la sta-
25 ture découplée et pour les épaules arrondies et forte-
ment nouées au corps de cette belle fille du soleil et
de la mer. La robe éclatait de partout, sur les épaules,
sur le sein, autour de la ceinture, comme une écorce
de sycomore qui se déchire sur les branches de l'arbre
30 aux fortes sèves du printemps. Les jeunes couturières
avaient eu beau épingler çà et là la robe et le fichu,
la nature avait rompu l'étoffe à chaque mouvement.

On voyait en **plusieurs** endroits, à travers les déchirures de la soie, le nu du cou ou des bras éclater sous les reprises. La grosse toile de la chemise passait à travers les efforts de la robe et du fichu, et contrastait par sa rudesse avec l'élégance de la soie. Les bras, 5 mal contenus par une manche étroite et courte, sortaient comme le papillon rose de la chrysalide qu'il fait gonfler et crever. Ses pieds, accoutumés à être nus et à s'emboîter dans de larges babouches grecques, tordaient le satin des souliers qui semblaient l'em- 10 prisonner dans des entraves de cordons noués comme des sandales autour de ses jambes. Ses cheveux, mal relevés et mal contenus par le réseau des dentelles et de fausses fleurs, soulevaient comme d'eux-mêmes tout cet édifice de coiffure, et donnaient au visage 15 charmant qu'on avait voulu en vain défigurer ainsi une expression d'effronterie dans la parure et de honte modeste dans la physionomie, qui faisaient le plus étrange et le plus délicieux contraste.

Son attitude était aussi embarrassée que son visage. 20 Elle n'osait faire un mouvement, de peur de laisser tomber les fleurs de son front ou de froisser son ajustement. Elle ne pouvait marcher, tant sa chaussure enclavait ses pieds et donnait de charmante gaucherie à ses pas. On eût dit l'Ève naïve de cette mer du 25 soleil prise au piège de sa première coquetterie.

XXXI

Le silence dura un moment ainsi dans la chambre. A la fin, plus peiné que réjoui de cette profanation

de la nature, je m'avançai vers elle en faisant des
lèvres une moue un peu moqueuse et en la regardant
avec une légère expression de reproche et de douce
raillerie, faisant semblant de la reconnaître avec peine
5 sous cet attirail de toilette. « Comment! lui dis-je,
c'est toi, Graziella? Oh! qui est-ce qui aurait jamais
reconnu la belle Procitane dans cette poupée de Paris?
Allons donc, continuai-je un peu rudement, n'as-tu pas
honte de défigurer ainsi ce que Dieu a fait si charmant
10 sous son costume naturel? Tu auras beau faire, va![1]
tu ne seras jamais qu'une fille des vagues au pied
marin et coiffée par les rayons de ton beau ciel. Il
faut t'y résigner et en remercier Dieu. Ces plumes
de l'oiseau de cage ne s'adapteront jamais bien à l'hi-
15 rondelle de mer.»

Ce mot la perça jusqu'au cœur. Elle ne comprit pas
ce qu'il y avait dans mon esprit de préférence passionnée et d'adoration pour l'hirondelle de mer. Elle
crut que je la défiais de ressembler jamais à une beauté
20 de ma race et de mon pays. Elle pensa que tous ses
efforts pour se faire plus belle à cause de moi et pour
tromper mes yeux sur son humble condition étaient
perdus. Elle fondit tout à coup en pleurs, et s'asseyant sur le lit, le visage caché dans ses doigts, elle
25 pria, d'un ton boudeur, ses jeunes amies de venir la
débarrasser de son odieuse parure. « Je savais bien,
dit-elle en gémissant, que je n'étais qu'une pauvre
Procitane; mais je croyais qu'en changeant d'habits
je ne te ferais pas tant de honte un jour, si je te
30 suivais dans ton pays. Je vois bien qu'il faut rester
ce que je suis et mourir où je suis née. Mais tu n'aurais pas dû me le reprocher.»

A ces mots, elle arracha avec dépit les fleurs, le bonnet, le fichu, et, les jetant d'un geste de colère loin
d'elle, elle les foula aux pieds en leur adressant des
paroles de reproche, comme sa grand'mère avait fait
aux planches de la barque après le naufrage. Puis, 5
se précipitant vers moi, elle souffla la lampe dans ma
main, pour que je ne la visse pas plus longtemps dans
le costume qui m'avait déplu.

Je sentis que j'avais eu tort de badiner trop rudement avec elle, et que le badinage était sérieux. Je 10
lui demandai pardon. Je lui dis que je ne l'avais
grondée ainsi que parce que je la trouvais mille fois
plus ravissante en Procitane qu'en Française. C'était
vrai ; mais le coup était porté. Elle ne m'écoutait
plus ; elle sanglotait. 15

Ses amies la déshabillèrent : je ne la revis plus que
le lendemain. Elle avait repris ses habits d'insulaire ;
mais ses yeux étaient rouges des larmes que ce badinage lui avait coûtées toute la nuit.

XXXII

VERS le même temps, elle commença a se défier 20
des lettres que je recevais de France, soupçonnant
bien que ces lettres me rappelaient. Elle n'osait pas
me les dérober, tant elle était probe et incapable de
tromper, même pour sa vie, mais elle les retenait quelquefois neuf jours, et les attachait avec une de ses 25
épingles dorées derrière l'image en papier de la Madone suspendue au mur, à côté de son lit. Elle pensait que la sainte Vierge, attendrie par beaucoup de

neuvaines en faveur de notre amour, changerait mi-
raculeusement le contenu des lettres, et transformerait
les ordres de retour en invitation à rester près d'elle.
Aucune de ces pieuses petites fraudes ne m'échappait,
5 et toutes me la rendaient plus chère. Mais l'heure
approchait.

XXXIII

Un soir des derniers jours du mois de mai, on
frappa violemment à la porte. Toute la famille dormait. J'allai ouvrir. C'était mon ami V....[1] « Je viens
10 te chercher, me dit-il. Voici une lettre de ta mère.
Tu n'y résisteras pas. Les chevaux sont commandés
pour minuit. Il est onze heures. Partons, ou tu ne
partiras jamais. Ta mère en mourra. Tu sais combien ta famille la rend responsable de toutes tes fautes.
15 Elle s'est tant sacrifiée pour toi ; sacrifie-toi un moment pour elle. Je te jure que je reviendrai avec toi
passer l'hiver et toute une autre longue année ici. Mais
il faut faire acte de présence[2] dans ta famille et d'obéis-
sance aux ordres de ta mère.»
20   Je sentis que j'étais perdu.
      « Attends-moi là,» lui dis-je.
      Je rentrai dans ma chambre, je jetai à la hâte mes
vêtements dans ma valise. J'écrivis à Graziella ; je
lui dis tout ce que la tendresse pouvait exprimer d'un
25 cœur de dix-huit ans et tout ce que la raison pouvait
commander à un fils dévoué à sa mère. Je lui jurai,
comme je me le jurais à moi-même, qu'avant que le
quatrième mois fût écoulé je serais auprès d'elle et que
je ne la quitterais presque plus. Je confiai l'incerti-

tude de notre destinée future à la Providence et à
l'amour. Je lui laissai ma bourse pour aider ses vieux
parents pendant mon absence. La lettre fermée, je
m'approchai à pas muets. Je me mis à genoux sur
le seuil de la porte de sa chambre. Je baisai la pierre 5
et le bois; je glissai le billet dans la chambre par-
dessous la porte. Je dévorai le sanglot intérieur qui
m'étouffait.

Mon ami me passa la main sous le bras, me releva
et m'entraina. A ce moment, Graziella, que ce bruit 10
inusité avait alarmée sans doute, ouvrit la porte. La
lune éclairait la terrasse. La pauvre enfant reconnut
mon ami. Elle vit ma valise qu'un domestique emportait sur ses épaules. Elle tendit les bras, jeta un
cri de terreur et tomba inanimée sur la terrasse. 15

Nous nous élançâmes vers elle. Nous la repor-
tâmes sans connaissance sur son lit. Toute la famille accourut. On lui jeta de l'eau sur le visage. On
l'appela de toutes les voix qui lui étaient les plus
chères. Elle ne revint au sentiment qu'à ma voix. 20
« Tu le vois, me dit mon ami, elle vit; le coup est
porté. De plus longs adieux ne seraient que des con-
tre-coups plus terribles.» Il décolla les deux bras
glacés de la jeune fille de mon cou et m'arracha de
la maison. Une heure après, nous roulions dans le 25
silence et dans la nuit sur la route de Rome.

XXXIV

J'avais laissé plusieurs adresses à Graziella dans
la lettre que je lui avais écrite. Je trouvai une pre-

mière lettre d'elle à Milan. Elle me disait qu'elle était
bien de corps, mais malade de cœur; que cependant
elle se confiait à ma parole et m'attendrait avec sécurité vers le mois de novembre.

5   Arrivé à Lyon, j'en trouvai une seconde plus sereine
encore et plus confiante. La lettre contenait quelques
feuilles de l'œillet rouge qui croissait dans un vase
de terre sur le petit mur d'appui de la terrasse, tout
près de ma chambre, et dont elle plaçait une fleur
10 dans ses cheveux le dimanche. Était-ce pour m'envoyer quelque chose qui l'eût touchée? Était-ce un
tendre reproche déguisé sous un symbole, et pour me
rappeler qu'elle avait sacrifié ses cheveux pour moi?

Elle me disait qu'elle avait eu la fièvre; que le cœur
15 lui faisait mal, mais qu'elle allait mieux de jour en
jour; qu'on l'avait envoyée, pour changer d'air et pour
se remettre tout à fait, chez une de ses cousines, sœur
de Cecco, dans une maison du Vomero, colline élevée
et saine qui domine Naples.

20   Je restai ensuite plus de trois mois sans recevoir
aucune lettre. Je pensais tous les jours à Graziella.
Je devais repartir pour l'Italie au commencement du
prochain hiver. Son image, triste et charmante, m'y
apparaissait comme un regret, et quelquefois aussi
25 comme un tendre reproche. J'étais à cet âge ingrat
où la légèreté et l'imitation font une mauvaise honte
au jeune homme[1] de ses meilleurs sentiments; âge
cruel où les plus beaux dons de Dieu, l'amour pur,
les affections naïves, tombent sur le sable et sont em-
30 portés en fleur par le vent du monde. Cette vanité
mauvaise et ironique de mes amis combattait souvent
en moi la tendresse cachée et vivante au fond de mon

cœur. Je n'aurais pas osé avouer sans rougir et sans
m'exposer aux railleries quels étaient le nom et la
condition de l'objet de mes regrets et de mes tristesses.
Graziella n'était pas oubliée, mais elle était voilée dans
ma vie. Cet amour, qui enchantait mon cœur, humi-   5
liait mon respect humain. Son souvenir, que je nour-
rissais seulement en moi dans la solitude, dans le
monde me poursuivait presque comme un remords.
Combien je rougis aujourd'hui d'avoir rougi alors!
et qu'un seul des rayons de joie ou une des gouttes   10
de larmes de ses chastes yeux valait plus que tous ces
regards, toutes ces agaceries et tous ces sourires auxquels j'étais prêt à sacrifier son image! Ah! l'homme
trop jeune est incapable d'aimer! Il ne sait le prix
de rien! Il ne connaît le vrai bonheur qu'après l'avoir 15
perdu! Il y a plus de sève folle et d'ombre flottante
dans les jeunes plants de la forêt; il y a plus de feu
dans le vieux cœur du chêne.

L'amour vrai est le fruit mûr de la vie. A dix-
huit ans on ne le connaît pas, on l'imagine. Dans   20
la nature végétale, quand le fruit vient, les feuilles
tombent; il en est peut-être ainsi dans la nature humaine. Je l'ai souvent pensé depuis que j'ai compté
des cheveux blanchissants sur ma tête. Je me suis
reproché de n'avoir pas connu alors le prix de cette   25
fleur d'amour. Je n'étais que vanité. La vanité
est le plus sot et le plus cruel des vices, car elle fait
rougir du bonheur!...

XXXV

Un soir des premiers jours de novembre, on me remit, au retour d'un bal, un billet et un paquet qu'un voyageur venant de Naples avait apportés pour moi de la poste en changeant de chevaux à Mâcon. Le voya-
5 geur inconnu me disait que, chargé pour moi d'un message important par un de ses amis, directeur d'une fabrique de corail à Naples, il s'acquittait en passant de sa commission ; mais que les nouvelles qu'il m'apportait étant tristes et funèbres, il ne demandait pas
10 à me voir ; il me priait seulement de lui accuser réception du paquet à Paris.

J'ouvris en tremblant le paquet. Il renfermait, sous la première enveloppe, une dernière lettre de Graziella, qui ne contenait que ces mots : « Le docteur dit que
15 je mourrai avant trois jours. Je veux te dire adieu avant de perdre mes forces. Oh ! si tu étais là, je vivrais ! Mais c'est la volonté de Dieu. Je te parlerai bientôt et toujours du haut du ciel. Aime mon âme ! Elle sera avec toi toute ta vie. Je te laisse mes
20 cheveux, coupés une nuit pour toi. Consacre-les à Dieu dans une chapelle de ton pays, pour que quelque chose de moi soit auprès de toi ! »

XXXVI

Je restai anéanti, sa lettre dans les mains, jusqu'au jour. Ce n'est qu'alors que j'eus la force d'ouvrir

la seconde enveloppe. Toute sa belle chevelure y
était, telle que la nuit elle me l'avait montrée dans
la cabane. Elle était encore mêlée avec quelques-unes
des feuilles de bruyère qui s'y étaient attachées cette
nuit-là. Je fis ce qu'elle avait ordonné dans son der- 5
nier vœu. Une ombre de sa mort se répandit dès ce
jour-là sur mon visage et sur ma jeunesse.

Douze ans plus tard [1] je revins à Naples. Je cherchai ses traces. Il n'y en avait plus ni à la Margellina
ni à Procida. La petite maison sur la falaise de l'île 10
était tombée en ruine. Elle n'offrait plus qu'un monceau de pierres grises au-dessus d'un cellier où les
chevriers abritaient leurs chèvres pendant les pluies.
Le temps efface vite sur la terre, mais il n'efface
jamais les traces d'un premier amour dans le cœur 15
qu'il a traversé.

Pauvre Graziella! Bien des jours ont passé depuis
ces jours. J'ai aimé, j'ai été aimé. D'autres rayons
de beauté et de tendresse ont illuminé ma sombre
route. D'autres âmes se sont ouvertes à moi pour 20
me révéler dans des cœurs de femmes les plus mys-
térieux trésors de beauté, de sainteté, de pureté, que
Dieu ait animés sur cette terre, afin de nous faire
comprendre, pressentir et désirer le ciel. Mais rien
n'a terni ta première apparition dans mon cœur. Plus 25
j'ai vécu, plus je me suis rapproché de toi par la
pensée. Ton souvenir est comme ces feux de la
barque de ton père, que la distance dégage de toute
fumée, et qui brillent d'autant plus qu'ils s'éloignent
davantage de nous. Je ne sais pas où dort ta dépouille 30
mortelle, ni si quelqu'un te pleure encore dans ton
pays, mais ton véritable sépulcre est dans mon âme.

C'est là que tu es recueillie et ensevelie tout entière
Ton nom ne me frappe jamais en vain.   J'aime la
langue où il est prononcé.   Il y a toujours au fond
de mon cœur une larme qui filtre goutte à goutte, et
5 qui tombe en secret sur ta mémoire pour la rafraîchir
et l'embaumer en moi.   (1829.[1])

XXXVII

Un jour de l'an 1830, étant entré dans une église
de Paris, le soir, j'y vis apporter le cercueil, couvert
d'un drap blanc, d'une jeune fille.   Ce cercueil me
10 rappela Graziella.   Je me cachai sous l'ombre d'un
pilier.   Je songeai à Procida, et je pleurai longtemps.

Mes larmes séchèrent ; mais les nuages qui avaient
traversé ma pensée pendant cette tristesse d'une sé-
15 pulture ne s'évanouirent pas.   Je rentrai silencieux
dans ma chambre.   Je déroulai les souvenirs qui sont
retracés dans cette longue note, et j'écrivis d'une seule
haleine et en pleurant les vers intitulés *le Premier regret*.   C'est la note, affaiblie par vingt ans de distance,
20 d'un sentiment qui fit jaillir la première source de mon
cœur ; mais on y sent encore l'émotion d'une fibre
intime qui a été blessée et qui ne guérira jamais
bien.

Voici ces strophes, baume d'une blessure, rosée d'un
25 cœur, parfum d'une fleur sépulcrale.   Il n'y manquait
que le nom de Graziella.   Je l'y encadrerais dans une
strophe, s'il y avait ici-bas un cristal assez pur pour
renfermer cette larme, ce souvenir, ce nom !

LE PREMIER REGRET

Sur la plage sonore où la mer de Sorrente
Déroule ses flots bleus au pied de l'oranger,
Il est, près du sentier, sous la haie odorante,
Une pierre petite, étroite, indifférente
    Aux pieds distraits de l'étranger.   5

La giroflée y cache un seul nom sous ses gerbes,
Un nom que nul écho n'a jamais répété !
Quelquefois cependant le passant arrêté,
Lisant l'âge et la date en écartant les herbes,
Et sentant dans ses yeux quelques larmes courir,   10
Dit : « Elle avait seize ans ! c'est bien tôt pour mourir !»

Mais pourquoi m'entraîner vers ces scènes passées ?
Laissons le vent gémir et le flot murmurer ;
Revenez, revenez, ô mes tristes pensées !
    Je veux rêver, et non pleurer.   15

Dit : « Elle avait seize ans ! » Oui, seize ans ! et cet âge
N'avait jamais brillé sur un front plus charmant !
Et jamais tout l'éclat de ce brûlant rivage
Ne s'était réfléchi dans un œil plus aimant !
Moi seul je la revois telle que la pensée,   20
Dans l'âme où rien ne meurt, vivante l'a laissée,
Vivante ! comme à l'heure où, les yeux sur les miens,
Prolongeant sur la mer nos premiers entretiens,
Ses cheveux noirs livrés au vent qui les dénoue,
Et l'ombre de la voile errante sur sa joue,   25
Elle écoutait le chant du nocturne pêcheur,
De la brise embaumée aspirait la fraîcheur,
Me montrait dans le ciel la lune épanouie,
Comme une fleur des nuits dont l'aube est réjouie,

Et l'écume argentée, et me disait: « Pourquoi
Tout brille-t-il ainsi dans les airs et dans moi?
Jamais ces champs d'azur semés de tant de flammes,
Jamais ces sables d'or où vont mourir les lames,
5 Ces monts dont les sommets tremblent au fond des cieux,
Ces golfes couronnés de bois silencieux,
Ces lueurs sur la côte et ces chants sur les vagues,
N'avaient ému mes sens de voluptés si vagues!
Pourquoi, comme ce soir, n'ai-je jamais rêvé?
10 Un astre dans mon cœur s'est-il aussi levé?
Et toi, fils du matin, dis, à ces nuits si belles
Les nuits de ton pays sans moi ressemblaient-elles? »
Puis, regardant sa mère assise auprès de nous,
Posait pour s'endormir son front sur ses genoux.

15 Mais pourquoi m'entraîner vers ces scènes passées?
Laissons le vent gémir et le flot murmurer;
Revenez, revenez, ô mes tristes pensées!
        Je veux rêver, et non pleurer.

Que son œil était pur et sa lèvre candide!
20 Que son ciel inondait son âme de clarté!
Le beau lac de Némi,[1] qu'aucun souffle ne ride,
A moins de transparence et de limpidité!
Dans cette âme, avant elle, on voyait ses pensées;
Ses paupières jamais, sur ses beaux yeux baissées,
25 Ne voilaient son regard d'innocence rempli;
Nul souci sur son front n'avait laissé son pli;
Tout folâtrait en elle; et ce jeune sourire,
Qui plus tard sur la bouche avec tristesse expire,
Sur sa lèvre entr'ouverte était toujours flottant,
30 Comme un pur arc-en-ciel sur un jour éclatant!
Nulle ombre ne voilait ce ravissant visage;
Ce rayon n'avait pas traversé de nuage!
Son pas insouciant, indécis, balancé,

Flottait comme un flot libre où le jour est bercé,
Ou courait pour courir; et sa voix argentine,
Écho limpide et pur de son âme enfantine,
Musique de cette âme où tout semblait chanter,
Égayait jusqu'à l'air qui l'entendait monter !   5

Mais pourquoi m'entraîner vers ces scènes passées?
Laissons le vent gémir et le flot murmurer;
Revenez, revenez, ô mes tristes pensées !
  Je veux rêver, et non pleurer.

Mon image en son cœur se grava la première,   10
Comme dans l'œil qui s'ouvre, au matin, la lumière.
Elle ne regarda plus rien après ce jour;
De l'heure qu'elle aima, l'univers fut amour !
Elle me confondait avec sa propre vie,
Voyait tout dans mon âme, et je faisais partie   15
De ce monde enchanté qui flottait sous ses yeux,
Du bonheur de la terre et de l'espoir des cieux.
Elle ne pensait plus au temps, à la distance;
L'heure seule[1] absorbait toute son existence;
Avant moi cette vie était sans souvenir,   20
Un soir de ces beaux jours était tout l'avenir !
Elle se confiait à la douce nature
Qui souriait sur nous, à la prière pure
Qu'elle allait, le cœur plein de joie et non de pleurs,
A l'autel qu'elle aimait répandre avec ses fleurs: 25
Et sa main m'entraînait aux marches de son temple,
Et, comme un humble enfant, je suivais son exemple,
Et sa voix me disait tout bas: « Prie avec moi !
Car je ne comprends pas le ciel même sans toi ! »

Mais pourquoi m'entraîner vers ces scènes passées?   30
Laissons le vent gémir et le flot murmurer;
Revenez, revenez, ô mes tristes pensées !
  Je veux rêver, et non pleurer.

Voyez dans son bassin l'eau d'une source vive
S'arrondir comme un lac sous son étroite rive
Bleue et claire à l'abri du vent qui va courir,
Et du rayon brûlant qui pourrait la tarir!
5 Un cygne blanc nageant sur la nappe limpíde,
En y plongeant son cou qu'enveloppe la ride,
Orne sans le ternir ce liquide miroir,
Et s'y berce au milieu des étoiles du soir;
Mais si, prenant son vol vers des sources nouvelles,
10 Il bat le flot tremblant de ses humides ailes,
Le ciel s'efface au sein de l'onde qui brunit,
La plume à grands flocons y tombe et la ternit,
Comme si le vautour, ennemi de sa race,
De sa mort sur les flots avait semé la trace:
15 Et l'azur éclatant de ce lac enchanté
N'est plus qu'une onde obscure où le sable a monté!

Ainsi, quand je partis, tout trembla dans cette âme,
Le rayon s'éteignit, et sa mourante flamme
Remonta dans le ciel pour n'en plus revenir.
20 Elle n'attendait pas un second avenir,
Elle ne languit pas de doute en espérance,
Elle ne disputa pas sa vie à la souffrance;
Elle but d'un seul trait le vase de douleur;
Dans sa première larme elle noya son cœur!
25 Et, semblable à l'oiseau moins pur et moins beau qu'elle,
Qui le soir, pour dormir, met le cou sous son aile,
Elle s'enveloppa d'un muet désespoir,
Et s'endormit aussi, mais hélas! loin du soir!

Mais pourquoi m'entraîner vers ces scènes passées?
30 Laissons le vent gémir et le flot murmurer;
Revenez, revenez, ô mes tristes pensées!
     Je veux rêver, et non pleurer.

Elle a dormi quinze ans dans sa couche d'argile.
Et rien ne pleure plus sur son dernier asile;
Et le rapide oubli, second linceul des morts,
A couvert le sentier qui menait vers ces bords;
Nul ne visite plus cette pierre effacée,   5
Nul n'y songe et n'y prie!... excepté ma pensée,
Quand, remontant le flot de mes jours révolus,
Je demande à mon cœur tous ceux qui n'y sont plus,
Et que, les yeux flottants sur de chères empreintes,
Je pleure dans mon ciel tant d'étoiles éteintes!   10
Elle fut la première, et sa douce lueur
D'un jour pieux et tendre éclaire encor¹ mon cœur!

Mais pourquoi m'entraîner vers ces scènes passées?
Laissons le vent gémir et le flot murmurer;
Revenez, revenez, ô mes tristes pensées!   15
    Je veux rêver, et non pleurer.

Un arbuste épineux, à la pâle verdure,
Est le seul monument que lui fit la nature;
Battu des vents de mer, du soleil calciné,
Comme un regret funèbre au cœur enraciné,   20
Il vit dans le rocher sans lui donner d'ombrage;
La poudre du chemin y blanchit son feuillage.
Il rampe près de terre, où ses rameaux penchés
Par la dent des chevreaux sont toujours retranchés;
Une fleur, au printemps, comme un flocon de neige,   25
Y flotte un jour ou deux; mais le vent qui l'assiège
L'effeuille avant qu'elle ait répandu son odeur,
Comme la vie avant qu'elle ait charmé le cœur!
Un oiseau de tendresse et de mélancolie
S'y pose pour chanter sur le rameau qui plie!   30
Oh! dis, fleur que la vie a fait si tôt flétrir,
N'est-il pas une terre où tout doit refleurir?

Remontez, remontez à ces heures passées,
Vos tristes souvenirs m'aident à soupirer !
Allez où va mon âme, allez, ô mes pensées !
Mon cœur est plein, je veux pleurer.

5   C'est ainsi que j'expiai par ces larmes écrites la
dureté et l'ingratitude de mon cœur de dix-huit ans.
Je ne puis jamais relire ces vers sans adorer cette
fraîche image que rouleront éternellement pour moi
les vagues transparentes et plaintives du golfe de
10 Naples... et sans me haïr moi-même ! Mais les
âmes pardonnent là haut. La sienne m'a pardonné.
Pardonnez-moi aussi, vous ! !   J'ai pleuré.

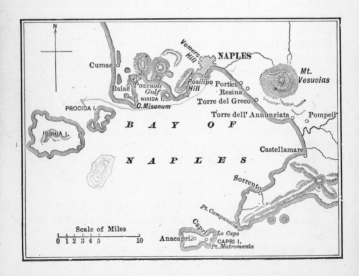

NOTES

Page 1. — 1. **Livre premier.** The story of Graziella begins with the seventh book of *les Confidences* and ends with the tenth. We have renumbered the books here for convenience.

2. **A dix-huit ans.** This journey to Italy was begun in 1811. Lamartine was, therefore, twenty or twenty-one at the time.

3. **Toscane,** *Tuscany.* Province of Italy of which Florence was the capital.

4. **villes de province.** By "province" the French mean any part of France outside of Paris.

5. **Milly.** An estate near Mâcon (department of Saône-et-Loire) inherited by Lamartine's father.

6. **Corinne.** A novel on Italian life and art, published in 1807 by Madame de Staël (1766–1817). Its heroine, Corinne, was an improviser of poetry. See page 61, note 2.

7. **Connais-tu,** etc. A paraphrase of the poem sung by Mignon in Goethe's *Wilhelm Meister's Lehrjahre* (Book III, ch. 1):

> Kennst du das Land, wo die Citronen blühn,
>
> . . . .
>
> Die Myrte still und hoch der Lorbeer steht?

Page 2. — 1. **toutes fraîches.** The adverb *tout* is construed like an adjective before feminine adjectives beginning with a consonant.

2. **Savoie.** The province of Savoy, on the French slope of the Alps, south of Lake Geneva.

3. **Simplon.** A pass in the Alps between Switzerland and Italy, south of Brieg.

4. **lac de Côme.** Lake Como in Italy, north of Milan.

5. **Livourne,** *Leghorn.* West of Florence, on the Mediterranean.

6. **le courrier,** *the mail-coach.*

Page 3. — 1. **place d'Espagne.** The Piazza di Spagna, a square in the shopping district of Rome.

2. **Davide,** Giacomo (1750–1830). A celebrated Italian tenor.

3. **que** = *lorsque.* Translation: "and nevertheless."

4. **Sabine.** Now Umbria; the province bordering Tuscany on the southeast.

Page 4. — 1. **Tivoli.** Town east of Rome, in the Sabine Hills, famous for its cascades. See page 5, lines 22–24.

2. **J'aurais dû m'en douter,** *I should have suspected it.*

Page 5. — 1. **Saint-Pierre.** St. Peter's, which was begun in 1450 and was consecrated in 1626. Its principal architect was Bramante (1444–1514). Michael Angelo built the dome after his plans. — **Colisée.** The Coliseum, erected by Vespasian and Titus, about the year 80, for gladiatorial shows and the like. — **Frascati, Albano.** Towns in the Alban Hills, near Rome, with fine villas and country-seats.

2. **La Camilla.** The definite article was formerly prefixed in Italian to names of celebrated persons. It is now quite generally used as a matter of courtesy.

3. **monte Pincio.** Hill in the northern district of Rome.

4. **temple de la Sibylle.** A circular building with columns overlooking the Tivoli waterfalls. It probably dates from Roman times.

5. **tombe de Cécilia Metella.** A circular structure outside the city walls to the south. It was erected in memory of the daughter of Metellus Creticus, who was also daughter-in-law of the triumvir Crassus.

6. **palais de Dioclétien.** Probably the Baths of Diocletian opposite the present railway station. They were built by that emperor in the fourth century.

Page 6. — 1. **Ave Maria.** Better known as the Angelus, the prayer taken from the greeting of the angel to the Virgin. See Luke i. 28.

Page 7. — 1. **Rienzi,** Nicolo di (1313–1354). He tried to revive the old Roman republic and was made tribune of the city in 1347.

2. **Mack,** Karl (1752–1828). The Austrian general who surrendered Ulm to Napoleon in 1805. He had occupied Rome in November, 1798, at the head of the Neapolitan army.

3. **Capitole.** The Capitoline Hill, where assemblies of the people were formerly held.

Page 8. — 1. **république.** The one organized in 1798.

2. **les mêmes sentiments.** Lamartine's mother had been brought up with the Orleanist princes. See *les Confidences,* Book I, ch. 7.

3. **Monti,** Vincenzo (1754–1828). A celebrated Italian poet.

4. **Alfieri,** Vittorio (1749–1803). Italian dramatist, author of tragedies on subjects taken from the history of the Greek and Roman republics.

5. **que** = *quand.*

6. **villa Pamphili.** Outside the walls, to the southwest.

7. **Ponte Rotto.** Old bridge over the Tiber, in ruins since 1598.

Page 9. — 1. **ce tyran.** Napoleon. See page 8, lines 6–9.

2. **Forum.** The Forum Romanum, the site of many public buildings of the ancient city.

3. **une étude en action,** *a study on the spot,* going to the places themselves.

Page 10. — 1. **Panthéon.** A circular temple consecrated to "all the Gods" in 27 B.C., by Augustus' son-in-law, Agrippa. It is now a church.

2. **palais de Léon X.** Now the Palazzo Madama, where the Italian Senate meets.

3. **maison d'Horace, à Tibur.** The Latin poet, Horace, has given his name to a villa at Tivoli (old Tibur), which he probably never inhabited.

4. **maison de Raphaël.** Built for Raphaël (1483–1520) by Bramante, the architect of St. Peter's. Has now disappeared.

5. **des vers sur Tibur.** These lines now seem to be lost.

Page 11. — 1. **que,** *and yet.* See page 3, note 3.

Page 13. — 1. **le tombeau de Virgile.** On a platform in front of the hill of Posilipo, on the north shore of the Bay of Naples. It is of brick and has a pyramidal form.

2. **le berceau du Tasse.** Torquato Tasso was born at Sorrento, on the south shore of the Bay of Naples, in 1544. He died at Rome in 1595.

3. **Velletri.** Town twenty-five miles southeast of Rome.

4. **des Abruzzes.** The Abruzzi province, extending from the Apennines to the Adriatic.

5. **Terracine,** *Terracina.* Town on the coast between Rome and Naples.

Page 14. — 1. **Murat régnait.** Joachim Murat (1771–1815), Napoleon's great cavalry general; was king of Naples from 1808 until shortly before his death.

2. **Les Calabres.** Calabria, the southernmost province of Italy.

3. **le roi Ferdinand.** Ferdinand I., king of Naples from 1759. Dispossessed by Napoleon in 1805, he returned in 1815 and reigned till 1825.

4. **Fra Diavolo.** Famous leader of Neapolitan bandits. Resisting the French invasion, he was captured and hung in 1806.

5. **Aymon de Virieu.** Lamartine's intimate friend with whom he maintained a long correspondence.

Page 15. — 1. **maison blanche du Tasse.** At Sorrento. Since swallowed up by the sea.

2. **cette scène homérique.** This return of Tasso to his sister occurred in 1577. He had escaped from a confinement at Ferrara, which he had brought on himself by assaulting one of the servants of the Este family. Lamartine's statement here is at variance with the account of Tasso's friend and biographer, Manso, who says that he came to his sister disguised as a shepherd, with a pretended message from her brother. She fainted and he then revealed himself.

3. **Ferrare.** Town near the Gulf of Venice. Formerly the seat of the Este, who were patrons of Italian literature in the sixteenth century.

Page 17. — 1. **palais de la reine Jeanne.** A name wrongly given to a palace which was built in the seventeenth century for Donna Anna, wife of the Duke of Medina. It is in the western part of the city and is now called the Palazzo di

Donn' Anna. It is in ruins, as Lamartine says. Queen Jane ruled Naples from 1343 to 1382.

2. **lazzaroni.** A term especially applied to the houseless poor and beggars of Naples.

3. **tarentela.** A kind of local dance which may have taken its name from the city of Tarentum. See Book II, ch. 7.

Page 18. — 1. **la Margellina,** *Mergellina.* A district and street of Naples, between Posilipo and the Bay.

2. **saint François.** Probably St. Francis of Assisi (1182–1226), the founder of the Franciscan order.

Page 19. — 1. **barcarole,** *boatman.*

2. **carlins,** *carolines.* Silver coins worth about eight cents each; so called because they bore the effigy of Charles III., king of Naples from 1734 to 1759.

Page 20. — 1. **Pouzzoles,** *Pozzuoli.* The Gulf of Pozzuoli is the extreme western indentation of the north shore of the Bay of Naples.

2. **celui de Baïa.** Part of the Gulf of Pozzuoli. In 1813 Lamartine wrote a poem, "Le Golfe de Baïa," published as number 21 of *les Méditations poétiques.*

Page 21. — 1. **voile latine,** *lateen sail;* of triangular shape; common in the Mediterranean and on Lake Geneva.

Page 22. — 1. **Tibère.** Tiberius Cæsar (42 B.C.–37 A.D.) erected many villas on Capri, where traditions of his cruelty still survive.

Page 23. — 1. **Grésivaudan.** An old district of France, in the upper Isère valley, extending to Grenoble.

2. **Mâconnais.** The region around Mâcon.

Page 25. — 1. **Époméo.** An extinct volcano.

2. **l'île grecque de Procida.** The mainland opposite Procida was colonized by the Greeks in pre-historic times. The tradition of this settlement is still kept in the Islands. See page 43, line 1.

3. **Nous n'avions qu'un parti à prendre,** *We had but one choice.* Cf. *il ne nous reste qu'un parti,* on page 26, line 21.

Page 27. — 1. **Nous mîmes le cap sur,** *We steered for.*

Page 29. — 1. **la pointe.** Probably Punta della Lingua, a cape on Procida nearest the mainland.

2. **Nous tenons la terre,** *We are hugging the land.*

Page 30. — 1. **qui tombe à faux,** *which misses its landing-place,* and breaks in half.

Page 31. — 1. **surbaissées.** Said of arches which are flattened or depressed at the top. "Surbased."

2. **régimes,** *strings,* bunches.

3. **du plain-pied,** *of the level,* the flooring.

Page 32. — 1. **Madre! sorellina!** *mother! little sister!*

2. **battant,** *shutter.*

Page 43. — 1. **sequins.** Gold coins formerly in circulation in Italy, and worth about two dollars and thirty cents.

2. **l'Archipel.** The one in the Ægean Sea.

Page 44. — 1. **Gênes,** *Genoa.*

2. **piastre.** An old silver coin of Italy worth about eighty cents.

Page 45. — 1. **Procitanes.** Girls of Procida.

Page 47. — 1. **se prenant les mains en chaîne.** Forming a circle with their hands.

Page 48. — 1. **faux-pont.** A temporary deck, sometimes called the "orlop deck."

Page 49. — 1. **fruste,** *effaced.*

2. **Parthénon.** The temple erected to the goddess Athena at Athens, under Pericles.

Page 50. — 1. **baie des Trépassés.** Trepassy Bay on the southwestern coast of Newfoundland.

Page 51. — 1. **calanque,** *small bay* (Italian *calanca*).

Page 54. — 1. **Ugo Foscolo** (1778–1827). Italian patriot and poet, author of these prose Letters (published 1802), which were inspired in part by Goethe's *Werther's Leiden.* See ch. 11.

Page 55. — 1, **Bernardin de Saint-Pierre** (1737–1814). Lover of nature and author. His *Paul and Virginia* appeared in 1789. See chs. 12–16.

2. **Tacite.** Latin historian, end of the first century. Lamartine is speaking of his *Annals* of Rome. See ch. 12.

Page 57. — 1. **astrico.** Perhaps from *astro* (Latin *astrum*), and meaning a space open to the sky and stars.

2. **soubrevestes.** Sleeveless, tight-fitting jackets.

Page 60. — 1. **Égine,** *Ægina.* Island south of Attica, governed formerly by Turkey.

Page 61. — 1. **Nous avions beau dire,** *say what we pleased.*
2. **improvisateurs.** A class of poets in Italy who improvise verses on any given theme.
3. **le Môle.** The mole in the harbor of Naples.

Page 63. — 1. **la Brenta.** River of Northern Italy flowing into the Gulf of Venice.

Page 64. — 1. **Platon** (429 B.C.–347 B.C.). Greek philosopher and author.

Page 66. — 1. **qui portait à terre,** *which rested on the ground.*
2. **gladiateur blessé.** A well-known statue in the Capitoline Museum at Rome.

Page 68. — 1. **seraient venus à lutter,** *had happened to strive together.*

Page 74. — 1. **louis.** A gold coin of France, the present twenty-franc piece, first minted by Louis XIII. in 1640. It is worth about three dollars and eighty cents.

Page 76. — 1. **si je venais à,** *if I happened.* See page 68, note 1.
2. **Chiaja.** One of the western districts of Naples.

Page 77. — 1. **des pauvres gens.** Notice the article in the partitive, *pauvres gens* being considered a compound word.

Page 79. — 1. **rideau blanc.** French and Italian beds are shut in by a curtain.

Page 80. — 1. **corricolo de place.** Cab taken from a street stand.

2. **fiasque,** *flask* (Italian *fiasca*).

Page 87. — 1. **lit de fer complet,** *iron bed with all its be longings,* mattress, etc.

Page 88. — 1. **à peine ridé,** *scarcely troubled,* ruffled.

Page 90. — 1. **soubrevestes.** See page 57, note 2.

2. **poussière de perles,** *very fine pearls,* minute. Generally called *semence de perles.*

Page 91. — 1. **babouches.** Turkish slippers, without heels.

Page 98. — 1. **addio,** *adieu.* — *A revoir* is sometimes used instead of *au revoir.*

Page 99. — 1. **Herminie.** Heroine in Tasso's *Jerusalem Delivered,* beloved by Tancred. See Canto VII. for this allusion.

Page 100. — 1. **marinaro,** *sailor,* fisherman.

Page 106. — 1. **circonvolutions.** Probably the constant return of the same thought.

2. **Resina.** Town at the foot of Vesuvius, on the site of buried Herculaneum.

Page 107. — 1. **l'ermitage de San Salvatore.** On the north-western shoulder of Vesuvius.

Page 108. — 1. **après deux mille ans.** The excavations at Pompeii were begun in 1748.

Page 110. — 1. **innamorata,** *in love.*

2. **Genève.** Geneva was the birthplace of Calvinism.

Page 115. — 1. **la grotte du Pausilippe.** A tunnel dating from the time of Augustus, which pierces the hill of Posilipo at the Mergellina.

Page 131. — 1. **Galatée.** Allusion to the story of the sculptor Pygmalion, who fell in love with his own statue of Galatea. It was endowed with life by Venus in answer to his prayers.

Page 138. — 1. **Corrège.** The Italian painter Allegri (1494–1534), called Correggio, from his native town.

Page 140. — 1. **Va!** An exclamation translatable by "I tell you," "indeed," or the like. For **Tu auras beau faire** see page 61, note 1.

Page 142. — 1. **V . . .** Evidently Virieu, since Graziella recognized him. See page 143, lines 12–13.

2. **faire acte de présence,** *present yourself.*

Page 144. — 1. **font une mauvaise honte au jeune homme,** *give a young man a false feeling of shame.* — *Mauvaise honte* generally means "bashfulness."

Page 147. — 1. **Douze ans plus tard.** In 1822. See "Chant d'amour," no. 24 of *les Nouvelles Méditations*, dated Naples, 1822.

Page 148. — 1. **1829.** Lamartine would seem to imply that his story had been written in 1829. But his preface to *les Confidences* gives the year 1843. See the Introduction, page x.

Page 150. — 1. **lac de Némi.** In an extinct crater of the Alban Hills, so surrounded as to receive but few breezes.

Page 151. — 1. **L'heure seule.** The present moment alone.

Page 153. — 1. **encor.** Poetical for *encore*, to avoid an extra syllable in the line.